rowohlts monographien
begründet von Kurt Kusenberg
herausgegeben von Uwe Naumann

Albert Einstein

Dargestellt von Johannes Wickert

Rowohlt Taschenbuch Verlag

Umschlagvorderseite: Albert Einstein bei seiner Ankunft
in New York, 1930
Umschlagrückseite: Aus dem Manuskript «Über die
Relativitätstheorie», entstanden in Zürich und Prag 1912:
die Formel von der Relativität der Masse
Kammermusikstunde mit Albert Einstein (links)
an Bord der «Deutschland» auf der Rückkehr
nach Deutschland im März 1931 nach dem Ende
der Gastprofessur in Princeton im Wintersemester 1930/31

Seite 3: Albert Einstein, 1914
Seite 7: Albert Einstein, in Princeton, 1948.
Foto von Yousuf Karsh

Friedrich W. Hehl gewidmet

Überarbeitete Neuausgabe
4. Auflage September 2010

Originalausgabe
Veröffentlicht im Rowohlt Taschenbuch Verlag,
Reinbek bei Hamburg, August 1972

Umschlaggestaltung any.way, Hamburg,
nach einem Entwurf von Ivar Bläsi
Reihentypographie Daniel Sauthoff
Redaktionsassistenz Katrin Finkemeier
Layout Gabriele Boekholt
Satz PE Proforma *und* Foundry Sans *PostScript,*
QuarkXPress 4.11
Gesamtherstellung CPI – Clausen & Bosse, Leck
Printed in Germany
ISBN 978 3 499 50666 6

INHALT

Frühe Lebensstationen

Für eine *Generation [...] und den Lauf der Geschichte*, schreibt Albert Einstein über Marie Curie, seien *ethische Qualitäten der führenden Persönlichkeiten [...] von vielleicht noch größerer Bedeutung als die rein intellektuellen Leistungen.* Und diese seien *in höherem Maße, als man gewöhnlich denkt*, so heißt es weiter, *von der Größe des Charakters abhängig.*[1] Der Charakter Einsteins, seine Persönlichkeit, deren Entwicklung und Reife und seine intellektuellen Leistungen sollen in den folgenden Kapiteln konzentriert thematisiert und verknüpft werden. Aus der Distanz von einem halben Jahrhundert seit Einsteins Tod bietet sich eine Fernsicht auf seine einzigartige geistige Gestalt und das von ihr geschaffene revolutionäre Kapitel der Physikgeschichte.

Kindheit und Jugend

Überblickt man die biographischen Dokumente, die zu seinem Werdegang gesammelt wurden, so sind Einsteins Kindheit und Jugendzeit als glücklich, aber auch als dornig einzustufen: Er erfuhr Geborgenheit in seiner Familie, Anregung und Ermutigung; es wurde nicht – wovor er einmal warnte – *zuviel erzogen*[2]. Dornig war seine Entwicklung, weil er sich schon in der Kindheit als *Einspänner*[3] entpuppte – abseits stand und trabte. Aber gerade seiner früh ausgeprägten Individualität verdankt er eine sich bereits in jungen Jahren ausbildende Selbständigkeit und die Einübung eigenständigen Denkens. Außenseiter spüren Gegenwind, doch *Gott schuf den Esel und gab ihm ein dickes Fell*[4].

Papa und Mama sind große Phlegmen und haben am ganzen Leib weniger Starrsinn als ich am kleinen Finger.[5] Vielleicht fehlte den Eltern jene Eigensinnigkeit ihres Sohnes, nicht aber der Wille zur freundlich bürgerlichen Lebensgestaltung im schwäbisch-süddeutschen Milieu. Den Vater, Hermann Einstein, in Buchau am Federsee geboren, kennzeichnete «eine nie versagende Güte, die niemandem etwas abschlagen konnte»[6]. Mit seinen kaufmännischen Fähigkeiten hatte er zwar nicht immer Erfolg, doch gelang es ihm trotzdem, seine Familie gut zu versorgen. Seine Vorfahren waren schwäbische Handwerker jüdischen Glaubens. Die Eltern und Großeltern der Mutter Pauline, eine geborene Koch, waren Hoflieferanten. Einsteins Mutter wird als tüchtige Hausfrau vorgestellt, die die Musik liebte und begabt gewesen sei, komplizierte und zeitraubende Handarbeiten anzufertigen. Jedoch habe sich für sie keine Möglichkeit geboten, ihre Fähigkeiten zu entwi-

Der Vater Hermann Einstein

Die Mutter Pauline Einstein, geb. Koch

Das Geburtshaus in Ulm, Bahnhofstraße

ckeln.[7] Das Paar wurde in Bad Cannstadt getraut. Zwei Jahre später, 1878, finden sich ihre Namen im Einwohnermeldeamt der Stadt Ulm. Hermann Einstein eröffnete dort südlich des Münsterplatzes zusammen mit zwei Vettern ein Geschäft für Bettfedern. In der Bahnhofstraße fanden die Einsteins eine Wohnung. Und dort wurde am 14. März 1879 der Sohn Albert geboren.

Die Stadt Ulm hat sich Jahrzehnte später dieses Ereignisses erinnert und das Wort «Ulmenses sunt mathematici» (Die Ulmer sind Mathematiker) mit ihrem inzwischen berühmten Sohn in Verbindung gebracht – allerdings erst nachdem eine Anfrage bei der Universität Tübingen bestätigen konnte, dass es sich bei Einstein um einen seriösen Forscher handele. 1922 gab man einer Straße im Westen der Stadt seinen Namen, bereute dies jedoch 1933 und benannte sie stattdessen nach dem nichtjüdischen Denker Johann Gottlieb Fichte. *Die drollige Geschichte mit dem Straßennamen […] hat mich nicht wenig amüsiert […] Ich glaube, ein neutraler*

Name, z. B. «Windfahnenstraße» wäre dem politischen Wesen der Deutschen besser angepaßt und benötigte kein Umtaufen im Laufe der Zeiten.[8]

1880 zog Familie Einstein nach München. Onkel Jakob, der Bruder des Vaters, war ein findiger Ingenieur. Mit ihm zusammen gründete Hermann Einstein einen Elektrobetrieb. Vierzehn Jahre widmeten die Brüder dem Aufbau ihrer Firma. Sie hatten Erfolg: Zeitweise entwarfen und bauten für sie 200 Fachleute damals moderne elektrische Geräte und Beleuchtungsanlagen, die bei großräumigen bayrischen Festveranstaltungen installiert wurden. In der heutigen Adlzreiterstraße 14 bewohnte die gesamte Fabrikantenfamilie Einstein, zu der auch Opa Koch zählte, eine schöne Villa auf dem Firmengelände, umgeben von einem herrlich angelegten «Englischen Garten». Albert und seine zwei Jahre jüngere Schwester Maja spielten häufig dort. Sonntags machte man Ausflüge. In der Familie herrschte ein liberaler Geist, die Ehe der Eltern war harmonisch.

Als Anfang der neunziger Jahre die Stadt eine umfassende elektrische Straßenbeleuchtung ausschrieb, wurde das Angebot der Einsteins überraschend abgelehnt. Den Großauftrag erhielt eine etabliertere und preisgünstigere Nürnberger Firma. «Von diesem Schlag haben sich die Einsteins nie wieder erholt.»[9] Aus Enttäuschung begann man mit Vorbereitungen für eine Umsiedlung nach Norditalien.

1885 war Albert in München eingeschult worden. An der katholischen St.-Peters-Schule traf er erstmals auf einige *Feldwebel*[10], die mit Rohrstock und Drill ihren Unterricht durchzogen. Einstein war erschreckt – und wurde dennoch Klassenbester. Dabei schockierte ein Ereignis das Grundschulkind besonders: Der Geistliche der Schule zeigte der Schülerschaft eines Tages einen großen Nagel und erklärte, mit solchen Nägeln hätten die Juden Christus ans Kreuz geschlagen. Alle starrten auf das einzige jüdische Kind in der Klasse, das dann auf dem Heimweg verprügelt wurde. Noch oft in seinem Leben richteten sich antisemitische Faustschläge gegen Einstein. In der Nazizeit galt er als ein «besonders jüdischer Jude», dessen «entartete Wissenschaft [den] inneren Zusammenbruch des deutschen Volkes» erzielen wolle.[11] Ob bereits jene schwer wiegende Demütigung in der Grundschule eine religiöse Neigung

Der fünfjährige Albert mit seiner dreijährigen Schwester Maja, 1884

in ihm wachrief? Jedenfalls entwickelte sich bei Einstein in diesen Jahren eine fast fromme Einstellung, die später durch das gymnasiale Unterrichtsfach «Israelitische Religionslehre» noch verstärkt wurde. Freiwillig unterwarf er sich strengen Geboten und weigerte sich, Schweinefleisch zu essen. Seine junge Gottessuche war jedoch nie orthodox. *Als Kind wurde ich sowohl in der Bibel wie im Talmud unterrichtet. Ich bin Jude, aber mich bezaubert die leuch-*

tende Gestalt des Nazareners.[12] Dem Zwölfjährigen geriet die «Logik des Herzens» (Blaise Pascal) mit der seines Verstandes in Konflikt: Er hatte sich mit naturwissenschaftlicher Literatur befasst. In der Folge arbeitete in seinem Bewusstsein *eine geradezu fanatische Freigeisterei*[13], die eine schon in der mittleren Kindheit einsetzende Lebensleitlinie verstärkte: die des Denkens. Die *angestrengte geisti-ge Arbeit* und das *Anschauen von Gottes Natur* seien seine Engel, die ihn sicher durch *alle Wirrnisse dieses Lebens* führen sollten.[14]

Sechs Jahre, von 1889 bis 1894, verbrachte Einstein auf dem Münchner Luitpold-Gymnasium. Er war auch hier wieder Außenseiter, er war der «Biedermeier», wie man ihn hänselte, gleichwohl blieb er ein Schüler mit sehr guten Zensuren. Die Zeugnisse verzeichneten für mathematisch-naturwissenschaftliche Fächer die Note «sehr gut», für Latein ebenfalls «sehr gut», für Griechisch «gut». Doch die Methoden der Angst, der Gewalt und der künstlichen Autorität nahmen dem Schüler jeden Spaß an der Schule. Man habe die *Freude, die heilige Neugier des Forschens* erdrosselt, *denn dies delikate Pflänzchen bedarf neben Anregung hauptsächlich der Freiheit.* Es sei ein großer Irrtum zu glauben, dass Freude am Schauen und Suchen durch Zwang und Pflichtgefühl gefördert würden. *Ich denke, daß man selbst einem gesunden Raubtier seine Freßgier wegnehmen könnte, wenn es gelänge, es mit Hilfe der Peitsche fortgesetzt zum Fressen zu zwingen, wenn es keinen Hunger hat, besonders wenn man die unter solchem Zwang verabreichten Speisen entsprechend auswählte.*[15] Das war ein instruktives pädagogisches Bekenntnis und zugleich das Programm für seinen eigenen, noch kindlichjugendlichen Erkenntnisweg: Anregungen und Freiheit. Beides fand Einstein im familiären Elektrobetrieb. Zu einem elektrotechnischen Problem lieferte er einmal beiläufig die Lösung; Onkel Jakob war begeistert: «Es ist schon fabelhaft mit meinem Neffen. Wo ich und mein Hilfsingenieur uns tagelang den Kopf zerbrochen haben, da hat der junge Kerl in einer knappen Viertelstunde die ganze Geschichte herausgehabt. Aus dem wird noch mal was.»[16] Zu Hause befasste sich Albert im Selbststudium mit Arithmetik und Geometrie. Onkel Jakob stellte Aufgaben, die von dem Jungen eifrig bewältigt wurden. Er erarbeitete sich selbständig die Grundlagen der Differential- und Integralmathematik; dass er einen Beweis des pythagoreischen Lehrsatzes ersann und sich leidenschaftlich für Euklids Mathematik interessierte, lag nun schon Jahre zurück. Als der polnische Medizinstudent Max Talmey im Einstein'schen Haus aufgenommen wurde (jüdische Familien boten damals mittellosen Studenten einen Freitisch), bekam der lernwillige Albert einige Bücher zu lesen, über deren Inhalt diskutiert wurde und die das frische Denken des Jungen inspirierten. Der studentische Hausgast empfahl ihm Johann Friedrich Herbarts «Lehrbuch zur Einleitung in die Philosophie», Immanuel Kants «Kritik der reinen Vernunft», Theodor Spiekers «Lehrbuch der ebenen Geometrie» und Ludwig Büchners naturwissenschaftliches Sachbuch «Kraft und Stoff».

Von seiner Familie hatte Einstein Nestwärme, Unterstützung und Anerkennung erfahren. Nun musste ihn im Sommer 1894 wiederum sein *dickes Fell* schützen, als nämlich die Einsteins nach Italien, zuerst nach Pavia, dann nach Mailand, auswanderten. Albert blieb in München zurück und wohnte bei entfernten Verwandten. Er sollte auf dem Luitpold-Gymnasium sein Abitur machen. Doch ein Zwischenfall lenkte seinen Lebenslauf in eine andere Richtung. München war damals ein «antisemitisches-reaktionäres Wespennest»[17]. Sein Klassenlehrer, der Griechisch, Latein, Deutsch und Geschichte unterrichtete, bestellte ihn kurz vor Weihnachten ins Sprechzimmer und schimpfte böse mit dem Fünfzehnjährigen – dieser möge die Schule verlassen. Als der erschrockene Albert entgegnete, er habe sich doch nichts zuschulden kommen lassen, behauptete der Pädagoge, seine bloße Anwesenheit verderbe ihm den Respekt in der Klasse – Albert Einstein, schulverdrossen, setzte sich in den Zug nach Mailand und verließ München.

Seine Schwester freute sich über seine Ankunft am meisten; sie bemerkte, wie aus dem stillen, verträumten Jungen ein mitteilsamer und überall wohlgelittener junger Mann geworden war. Einstein verlebte fast ein ganzes glückliches Jahr in Italien, dessen Sprache und Kultur er liebte. Er wanderte viel und begann schon damals, über den Äther zu grübeln. Ein erster Text wurde entworfen. Welche physikalische Eigenschaft mochte diesem Medium eigen sein? Gab es den Äther wirklich, wie Heinrich Hertz behauptete, oder war er bloß eine Fiktion? Etwa zehn Jahre später würde er in seiner Speziellen Relativitätstheorie diese Fragen beantworten.

Nun brachte ein Züricher Freund des Vaters in Erfahrung, dass in Sonderfällen an der dortigen Eidgenössischen Technischen Hochschule ein Studium auch ohne Abitur aufgenommen werden konnte.

Mit einem Gefühl wohlbegründeter Unsicherheit meldete ich mich zur Aufnahmeprüfung.[18] Die neue Hoffnung war jedoch rasch zerstört. An dem Institut, an dem er als Vierunddreißigjähriger Professor werden sollte, fiel der Sechzehnjährige durch. Seine Leistungen in den modernen Sprachen, in Zoologie und Botanik waren ungenügend. Wieder brauchte Einstein sein *dickes Fell*, um nicht aufzugeben, um einen neuen Anlauf zu nehmen. *Daß ich durchfiel, empfand ich als voll berechtigt […]. Tröstlich aber war es, daß der Physiker H. F. Weber mir sagen ließ, ich dürfe seine Kollegien hören, wenn ich in Zürich bliebe. Der Rektor, Professor Albin Herzog, aber empfahl mich an die Kantonsschule in Aarau.*[19]

Im Schuljahr 1895/1896 zählte er dort zur Abiturklasse und wohnte bei der freundlichen und weltoffenen Familie Winteler. Gern dachte Einstein später an die Aarauer Zeit zurück: *Ich muß oft an Papa Winteler denken und an die seherhafte Richtigkeit seiner politischen Ansichten*[20]; vielleicht erinnerte er sich auch an dessen Tochter Marie, in die er sich verliebt hatte.[21] Aus den beiden wurde jedoch nie ein Paar. Jahre später heiratete Einsteins Schwester Maja den Bruder der hübschen Marie, Paul Winteler.

Die Kantonsschule Aarau wurde eine positive Überraschung für den jungen Einstein. *Diese Schule hat durch ihren liberalen Geist und durch den schlichten Ernst der auf keinerlei äußerliche Autorität sich stützenden Lehrer einen unvergeßlichen Eindruck in mir hinterlassen; durch Vergleich mit sechs Jahren Schulung an einem deutschen, autoritär geführten Gymnasium wurde mir eindringlich bewußt, wie sehr die Erziehung zu freiem Handeln und Selbstverantwortlichkeit jener Erziehung überlegen ist, die sich auf Drill, äußere Autorität und Ehrgeiz stützt. Echte Demokratie ist kein leerer Wahn.*[22] In seinem in französischer Sprache abgefassten Abituraufsatz *Mes projets d'avenir* (Meine Zukunftspläne) konnte man lesen, er wolle später Gymnasiallehrer für Physik werden – und seine Abschlussnoten für Mathematik und Physik lauteten auch «sehr gut».

Studium

Im Oktober 1896 immatrikulierte sich Albert Einstein an der Eidgenössischen Polytechnischen Hochschule in Zürich für das Studium des mathematisch-physikalischen Fachlehrers. Auch hier bedurfte es wieder des *dicken Fells*: Professor Jean Pernet, der wesentlich an Einsteins Ausbildung beteiligt war, gab ihm wohlwollend zu bedenken, beim Studium fehle es ihm zwar nicht an Eifer und gutem Willen, jedoch an Können. Einstein habe wohl keinen Begriff davon, wie schwierig ein Lehrgang der Physik sei: «Warum studieren Sie nicht lieber Medizin, Juristerei oder Philologie?» – *Weil mir dazu erst recht die Begabung fehlt, Herr Professor*, antwortete Einstein. *Warum soll ich es mit der Physik nicht wenigstens probieren?*[23]

Das Verhältnis Einsteins zu seinen Professoren war eher gespannt als gut – kein Wunder bei *so einer Art Vagabund und Eigenbrödler wie ich*[24], so Einstein selbst. In den Praktika, weiß der damalige Assistent Dr. Joseph Sauter, fügte der Student sich den Anweisungen nicht. Das Skriptum, das die Lösungswege der gestellten Aufgabe festhielt, landete im Papierkorb. Als sich Einstein einmal bei einer Explosion die rechte Hand verletzte, fragte Professor Per-

Das Polytechnikum in Zürich, um 1900

net seinen Assistenten: «Was denken Sie eigentlich von Einstein? Der macht ja etwas ganz anderes, als ich angeordnet habe!» – «Tatsächlich, Herr Professor, aber seine Lösungen sind richtig und die von ihm angewandten Methoden immer interessant.»[25]

Auch der Dozent für Elektrotechnik, Heinrich Friedrich Weber, kritisierte den jungen Physiker: «Sie sind ein gescheiter Junge, Einstein, ein ganz gescheiter Junge. Aber Sie haben einen großen Fehler: Sie lassen sich nichts sagen!»[26] Gerade zu Professor Weber geriet Einstein in eine angespannte Beziehung. Er sprach ihn beharrlich mit «Herr Weber» an, was damals als Respektlosigkeit angesehen werden musste. Als Einstein ihm seine Diplomarbeit übergab – das Thema «Wärmeleitung» interessierte Professor Weber nicht sonderlich –, hatte er nicht das vorgeschriebene Papier benutzt, und der Betreuer trug ihm drei Tage vor dem Examen auf, die Arbeit nochmals ordnungsgemäß abzuschreiben.

Mathematikprofessor Hermann Minkowski[27] wiederum, der später für den mathematischen Ausbau von Einsteins Relativitätstheorie einen belangreichen Beitrag erbringen sollte, erwartete von dem jungen Physiker keine bedeutenden Leistungen. Einsteins Spezielle Relativitätstheorie sei für ihn dann auch eine gewaltige Überraschung gewesen. «Denn früher war Einstein ein richtiger Faulpelz. Um die Mathematik hat er sich überhaupt nicht gekümmert.»[28]

Ich merkte bald, so berichtete Einstein, *daß ich mich damit zu begnügen hatte, ein mittelmäßiger Student zu sein. Um ein guter Student zu sein, muß man eine Leichtigkeit der Auffassung haben; Willigkeit, seine Kräfte auf all das zu konzentrieren, was einem vorgetragen wird; Ordnungsliebe, um das in den Vorlesungen Dargebotene schriftlich aufzuzeichnen und dann gewissenhaft auszuarbeiten. All diese Eigenschaften fehlten mir gründlich, was ich mit Bedauern feststellte. So lernte ich allmählich mit einem einigermaßen schlechten Gewissen in Frieden zu leben und mir das Studium so einzurichten, wie es meinem intellektuellen Magen und meinen Interessen entsprach. Einigen Vorlesungen folgte ich mit gespanntem Interesse. Sonst aber «schwänzte» ich viel und studierte zu Hause die Meister der theoretischen Physik mit heiligem Eifer. Dies war an sich gut und diente auch dazu, das schlechte Gewissen so wirksam abzuschwächen, daß das seelische Gleichgewicht nicht irgendwie empfindlich gestört wurde.*[29]

Im Frühjahr 1900 sollte die Diplomprüfung abgelegt werden. Auf besonderes Wohlwollen der Professoren konnte Einstein nicht hoffen. Wegen seines unregelmäßigen Besuchs der Pflichtveranstaltungen lag in seinen Akten ein Verweis. Vorlesungsmanuskripte besaß er nicht. Die Rettung verdankte er seinem Freund Marcel Großmann[30]: *Er besuchte nicht nur alle für uns in Betracht kommenden Vorlesungen, sondern arbeitete sie auch in so vorzüglicher Weise aus, daß man die Hefte sehr wohl gedruckt hätte herausgeben können. Zur Vorbereitung auf die Examina lieh er mir diese Hefte, die für mich einen Rettungsanker bedeuteten; wie es mir ohne sie ergangen wäre, darüber will ich lieber nicht spekulieren. Trotz dieser unschätzbaren Hilfe und trotzdem die vorgetragenen Gegenstände alle an sich interessant waren, mußte ich mich doch sehr überwinden, all diese Dinge gründlich zu lernen. Für Menschen meiner Art von grüblerischem Interesse ist das Universitätsstudium nicht unbedingt segensreich. Gezwungen, soviele gute Sachen zu essen, kann man sich dauernd den Appetit und den Magen verderben. Das Lichtlein der heiligen Neugier kann dauernd verlöschen. Glücklicherweise hat bei mir diese intellektuelle Depression nach glücklicher Beendigung des Studiums nur ein Jahr angehalten.*[31]

Erste Berufsjahre

Einsteins Diplomzeugnis fiel gut aus. Bei einer optimalen Bewertung von 6 Punkten erreichte er im Durchschnitt 4,91 Punkte. Seinen Studienkollegen Großmann, Kollros[32] und Ehrat[33] wurde nach dem Abschluss eine Assistentenstelle am Polytechnikum angeboten; damit durfte Einstein nicht rechnen. Obgleich er es gewohnt war, bescheiden zu leben, tauchten nun finanzielle Probleme auf. Für kurze Zeit besserten Auswertungsarbeiten an der Eidgenössischen Sternwarte in Zürich die Lage. Und während mehrerer Monate lebte Einstein bei seinen Eltern in Mailand. Erst im Mai 1901 – ein Jahr nach bestandenem Examen – regte sich endlich neue Hoffnung. Am Technikum in Winterthur musste der dort lehrende Mathematikprofessor seinen Militärdienst ableisten, und Einstein sollte, wie er in einem Brief dem Züricher Professor Alfred Stern[34] mitteilte, den Unterricht übernehmen. *Ich bin außer mir vor Freude darüber, denn heute erhielt ich die Nachricht, daß alles definitiv geordnet sei. Ich habe gar keine Ahnung, welcher Men-*

schenfreund mich dorthin empfohlen hat, denn soviel man mir sagte, bin ich bei keinem einzigen meiner früheren Lehrer gut angeschrieben [...]. Aber das ist gewiß, daß mir noch keiner so entgegengekommen ist wie Sie, und daß ich mehr als einmal in trauriger oder bitterer Stimmung zu Ihnen ging und dort stets Freudigkeit und inneres Gleichgewicht wiederfand. Damit Sie mich jetzt aber nicht allzusehr auslachen, muß ich doch gleich dazusetzen, daß ich ganz gut weiß, daß ich ein lustiger Fink bin und ohne einen verdorbenen Magen oder so was Ähnliches gar kein Talent habe zu melancholischen Stimmungen [...]. In den nächsten Tagen gehe ich zu Fuß über den Splügen, um mit der angenehmen Pflicht noch ein schönes Vergnügen zu verbinden.[35]

Am 16. Mai 1901 trat Einstein seine Stelle in Winterthur an. Er blieb dort als Hilfslehrer bis zum 11. Juli 1902. Da seine Anstellung befristet war, meldete er sich anschließend auf ein Inserat der «Schweizerischen Lehrer-Zeitung». Der Rektor des Knabenpensionats in Schaffhausen, Dr. Jakob Nüesch, suchte eine Hilfskraft. Einstein wurde auf Empfehlung seines Aarauer Schulfreundes Conrad Habicht[36] eingestellt und zunächst auch in die Hausgemeinschaft des Pädagogen aufgenommen. Seine Aufgabe war es, einen jungen Engländer auf das eidgenössische Abitur vorzubereiten. «Auf beiden Seiten scheint der Lern- und Lehreifer jedoch temperiert gewesen zu sein.»[37] Differenzen im Haus Nüesch führten dazu, dass Einstein schließlich in das Städtchen ausquartiert wurde. «Man hat einen Hilfslehrer engagiert, keinen Sokrates.»[38]

Der eigenwillige, aber bescheidene junge Mensch[39], für den Einstein sich hielt, dürfte die unsichere äußere Situation – trotz aller inneren Unabhängigkeit – schließlich doch als bedrückend empfunden haben. Jedenfalls schreibt er im Rückblick: *Das Größte, was Marcel Großmann als Freund für mich getan hat, war dies: Etwa ein Jahr nach Beendigung des Studiums empfahl er mich mit Hilfe seines Vaters an den Direktor des Schweizerischen Patentamtes [Friedrich Haller], das damals noch «Amt für geistiges Eigentum» hieß. Nach eingehender mündlicher Prüfung hat Herr Haller mich dort angestellt. Dadurch wurde ich 1902–09 in den Jahren besten produktiven Schaffens von Existenzsorgen befreit. [...] Endlich ist ein praktischer Beruf für Menschen meiner Art überhaupt ein Segen. Denn die akademische Laufbahn versetzt einen jungen Menschen in eine Art Zwangslage, wissen-*

Beamter am Eidgenössischen Patentamt für geistiges Eigentum in Bern, 1902

schaftliche Schriften in impressiver Menge zu produzieren – eine Verführung und Oberflächlichkeit, der nur starke Charaktere zu widerstehen vermögen. Die meisten praktischen Berufe sind ferner von solcher Art, daß ein Mensch von normaler Begabung das zu leisten vermag, was von ihm erwartet wird. Er ist in seiner bürgerlichen Existenz nicht von besonderen Erleuchtungen abhängig. Hat er tiefere wissenschaftliche Interessen, so mag er sich neben seiner Pflichtarbeit in seine Lieblingsprobleme versenken. Die Furcht, daß seine Bemühungen ohne Ergebnis bleiben können, braucht ihn nicht zu bedrücken.[40]

Der Beamte Einstein verbrachte sieben fruchtbare Jahre in Bern. Er erhielt ein Jahresgehalt von 3500 Franken, das 1906, nach seiner Beförderung, auf 4500 Franken stieg. *Ja, was soll ich denn mit dem vielen Geld anfangen?*[41], habe Einstein Direktor Haller gefragt.

Dabei hatten sich die Lebensverhältnisse Albert Einsteins mittlerweile entschieden verändert. Am 6. Januar 1903 hatte er seine frühere Kommilitonin Mileva Marić geheiratet und sich mit ihr in der Tillierstraße eine Wohnung gemietet.

Sein *Herzensschatzerl*[42], wie er sie damals zärtlich nannte, war 1875 als Tochter einer serbischen Beamten- und Gutsbesitzerfamilie geboren und im griechisch-orthodoxen Glauben erzogen worden. Mit 21 Jahren hatte sie sich entschieden, ihre Heimat zu verlassen, um in der freien Schweiz an der Eidgenössischen Technischen Hochschule Zürich ein physikalisch-technisches Studium zu beginnen, das sie allerdings nicht abzuschließen vermochte. Schon während des Studiums blieb sie eine Außenseiterin, die durch ein verkürztes Bein auffiel, sie war meist wortkarg und wirkte unsicher, doch der Kommilitone Albert Einstein wurde ihr Freund. Sie lasen zusammen physikalische Bücher, wenngleich Milevas naturwissenschaftliches Interesse allmählich nachließ. Es war nicht leicht für sie, an Einsteins Seite zu leben, denn er war ein Erzschlamper. Damit kam er freilich ihrer großzügigen Haushaltsführung entgegen. Fast täglich traf er sich mit seinen Freunden und diskutierte mit ihnen bis in die Nacht hinein. Armin Hermann teilt in seiner ausführlichen Biographie mit, Mileva habe sich seinen Kollegen gegenüber «sehr abweisend und mißtrauisch» verhalten. «Weil er lieber fachsimpelte, ließ er sie auch abends allein. Wenn sie sich dann bei ihm beklagte, sprach er von ihrer ‹Unselbständigkeit›.»[43]

Mileva hatte es schwer. Ausgestattet mit einem geringen Selbstwertgefühl, litt sie an einer depressiven Grundstimmung und unter quälender Eifersucht. Einstein äußerte sich unterschiedlich zu ihrer Persönlichkeit: Er konnte sagen: *Alles in allem* ist *Mileva doch eine ungewöhnliche Frau*[44], oder Liebevolles schreiben: *Am Sonntag küss' ich Dich mündlich.*[45] Und er konnte hart und verbittert urteilen, Mileva sei *raffiniert und verlogen*[46], oder ihr sogar eine *schizophrene Erbanlage*[47] unterstellen. Die meisten Biographen resümieren: Einsteins erste Ehe verlief nicht glücklich.

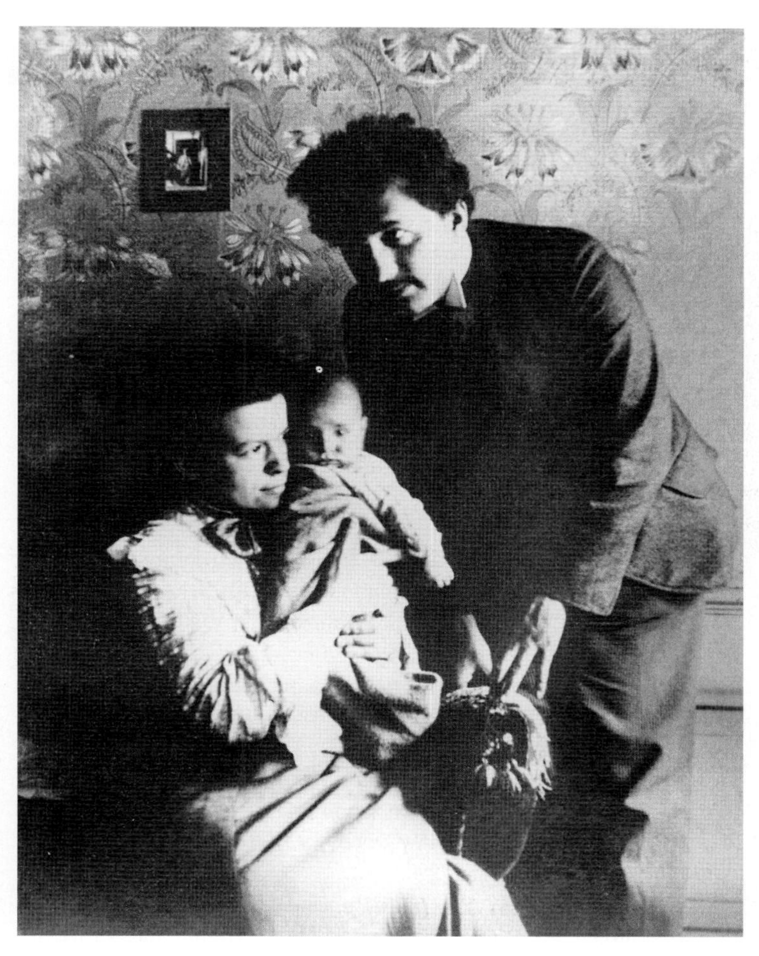

Mit Ehefrau Mileva, geb. Marić, und dem zweiten Kind Hans Albert, Zürich 1904

Bereits ein Jahr vor der Eheschließung war Einstein Vater geworden. Mileva reiste in das damalige Ungarn und brachte dort eine Tochter zur Welt. Wir wissen nicht, was aus dem Kind geworden ist. Nach dem zweiten Hochzeitstag erblickte dann der erste Sohn Hans Albert das Berner Licht und nach weiteren sechs Jahren, im Juli 1910, Eduard, ein Sorgenkind, das später in einer geschlossenen psychiatrischen Anstalt leben musste. Rückblickend (1931) gestand Einstein ein, er habe *selbst der engeren Familie nie mit ganzem Herzen angehört [...], sondern all diesen Bindungen gegenüber ein nie sich legendes Gefühl der Fremdheit und das Bedürfnis nach Einsamkeit empfunden*[48]. Nach traditioneller Rollenverteilung blieb es Milevas Aufgabe, für die Kinder zu sorgen. Erziehungsprobleme traten auf, besonders gravierend nach der Trennung des Paares 1914.

Die Briefe Einsteins an seine Cousine Elsa schon während der Ehejahre mit Mileva – Elsa Einstein war geschieden und hatte zwei Töchter – lesen sich wie Liebesbriefe. Sie geben Aufschluss über seine zerrüttete Ehe und zeugen von der Hoffnung auf eine erfreulichere Beziehung mit Elsa. Sie drängte auf Scheidung. *Glaubst Du, es ist so leicht, sich scheiden zu lassen, wenn man von der Schuld des anderen Teils keinen Beweis hat [...]?* Er habe *sein eigenes Schlafzimmer und vermeide es, mit ihr allein zu sein. In dieser Form halte ich das Zusammenleben ganz gut aus.*[49] Mileva wiederum fürchtete sich davor, ihrem Mann nach Berlin zu folgen, wohin ihn 1914 ein höchst ehrenvoller Ruf an die Preußische Akademie der Wissenschaften zog. Denn dort wartete nicht nur die verehrte Elsa, sondern obendrein die Mutter Einsteins, die damals Elsa oft besucht hatte (der Vater war 1902 in Mailand gestorben). *Meine Mutter ist sonst großmütig, aber als Schwiegermutter der wahre Teufel.*[50] Die Mutter sah das sich anbahnende Verhältnis zwischen ihrem Albert und Cousine Elsa mit Wohlwollen. Er komme *haleluja allein, weil mein Kreuz [Mileva] mit den Kindern auf Befehl des Arztes nach Locarno gehen muß zur Erholung*[51].

Für wenige Wochen folgte ihm die Familie nach Berlin, dann holte sie ein Freund aus Schweizer Tagen, Michele Besso, wieder ab. Die Ehe ließ sich offenbar nicht fortsetzen. Als Mileva und die beiden Söhne den Zug nach Zürich bestiegen, weinte Einstein.

1919 wurde die Ehe geschieden. Mileva erhielt das Sorgerecht für die Kinder, Albert Einstein versprach seiner Familie die Summe aus dem Nobelpreis, der schon damals zu erwarten war und ihm drei Jahre später tatsächlich verliehen wurde. Zum älteren Sohn Hans Albert bestand ein gespanntes, von Vorwürfen gegen den Vater geprägtes Verhältnis. *Ich glaube, seine Gesinnung gegen mich hat den Gefrierpunkt nach unten unterschritten.*[52] Der Konflikt zwischen Vater und Sohn dauerte an; er währte noch, als Hans Albert später in Kalifornien als Professor für Hydraulik arbeitete. Mileva starb 1948 einsam in Zürich.

Einsteins geballte seelisch-geistige Energie, die sich kreativ auf wissenschaftliche und soziale Fragen richtete, sein altruistisches Handeln – für Tausende jüdische Flüchtlinge – konnte in seinem privaten Bereich nicht konstruktiv wirken. Seine Ehe verwandelte sich bald von einem Quell der Freude zum *sauersten Sauertopf*[53], seine Vaterschaft bereitete ihm ein quälendes schlechtes Gewissen. Zu seinen Lebzeiten blieben diese Konflikte der Öffentlichkeit verborgen. Erst durch Hinweise aus dem Nachlass erschreckte ein Widerspruch Einsteins Anhängerschaft: die deutliche Diskrepanz zwischen dem Familienmitglied Albert Einstein und dem Autor ethisch-sozialer Texte. Diesen Widerspruch vermögen wir nicht aufzulösen; allenfalls können die beiden folgenden Anmerkungen zum Nachdenken anregen. Einstein bahnte in seinem Arbeitsleben viele Wege nach außen, aber einen Weg nach innen, zu sich selbst, hat er nie gesucht. An Hermann Broch, der ihm ein Exemplar seines «Vergils» zusandte, schrieb er einmal die aufschlussreichen Worte: *Es zeigt mir das Buch deutlich, vor was ich geflohen bin, als ich mich mit Haut und Haar der Wissenschaft verschrieb: Flucht vom Ich und Wir in das Es.*[54]

Zu dieser Fluchtbewegung gehört der stets witzelnde und lachende Einstein. Sein häufiges, schallendes Lachen über sich selbst wie über viele Daseinsthemen und seine Gewohnheit, das Geschehen humorvoll zu kommentieren, sind ein Ausdruck seiner eigenen Lebensbewältigung. In der Psychologie heißt es: Flucht in den Humor ermöglicht Distanz und erspart enge, emotionale Involviertheit. Über sein Lachen findet sich ein Schlüssel zu Einsteins Persönlichkeit.[55]

Entwicklungskräfte

«Akademie Olympia»

Da Einstein sich vorgenommen hatte, in Bern bis zu seinem Antritt beim Eidgenössischen Patentamt durch Privatstunden Geld zu verdienen, gab er eine Anzeige im «Berner Tageblatt» auf. Kurze Zeit darauf erschien in seiner Wohnung ein junger Rumäne namens Maurice Solovine: Er sei Philosophiestudent und davon überzeugt, dass diese Wissenschaft sich mit den «höchsten Fragen» befasse.[56] Um das Durcheinander der Gedanken in seinem Kopf zu entwirren, habe er sich auch naturwissenschaftlichen Fächern zugewandt, der Geologie, der Mathematik und der Physik. Wenngleich er sich große Mühe gegeben habe, die physikalischen Theorien zu verstehen, seien seine Bemühungen doch am Fehlen der Grundlagenkenntnisse gescheitert. Einstein und Solovine freundeten sich sogleich an. Auch Einstein hatte es zuerst mit der Philosophie versucht; die dort herrschende *Unklarheit und Willkür*[57] hatten ihn jedoch bewogen, sich einer exakten Naturwissenschaft zuzuwenden.

Privatstunden in Mathematik und Physik für Studierende und Schüler erteilt gründlichst Albert Einstein, Inhaber des eidgen. polyt. Fachlehrerdiploms,
Gerechtigkeitsgasse 32, I. Stock.
Probestunden gratis.

Berner Tageblatt,
5. Februar 1902

Zu einem Physikunterricht im herkömmlichen Sinne kam es nie. *Offen gestanden, Sie brauchen keine Physikstunden zu nehmen*[58], meinte Einstein. Und Solovine fragte: «Wäre es nicht zweckmäßig, wenn wir gemeinsam irgendein Werk eines großen Forschers läsen und die hierin behandelten Fragen besprächen?»[59] So machten sie es. Regelmäßig kamen die beiden – meist in Einsteins Wohnung – zusammen. Bald schloss sich ein Dritter an, Conrad Habicht, der Schulkamerad aus der Aarauer Zeit, der nun in Bern studierte. Nach gemeinsamer Mahlzeit wurden die Texte gelesen und anschließend besprochen. Die drei gaben diesen Zusammenkünften, deren Atmosphäre von Scharfsinn und gelöster Herzlichkeit bestimmt war, den Namen «Akademie Olympia». Gelesen wurden Werke von Ernst Mach (die «Mechanik» und die «Analyse der Empfindungen»), die «Logik» von John Stuart Mill, David Humes philosophische Schriften und Baruch de Spinozas «Ethik». Das Programm der Akademie nahm immer mehr Autoren auf: Henri Poincaré, André Marie Ampère, Richard Avenarius, Hermann von Helmholtz. Auch dichterische Werke – Romane wie Dramen – wurden einbezogen: die «Antigone» des Sophokles, Texte von Jean Racine und Charles Dickens.

Die Zeit anregender Gespräche in der «Akademie Olympia» hat Einsteins wissenschaftliche Entwicklung entscheidend gefördert. Man las eine Seite, manchmal nur eine halbe, bisweilen nur einen Satz, und diskutierte hinterher Tage hindurch. David Humes «ungemein scharfsinnige Kritik der Begriffe Substanz und Kausalität»[60] wurde wochenlang erörtert. «Leider ist es mir nicht möglich, dem Leser einen Einblick von den langen und lebhaften Diskussionen zu übermitteln, die durch die Lektüre der oben erwähnten Bücher hervorgerufen wurden»[61], schreibt Solovine, der später in Paris eine literarische Tätigkeit ausübte. Eine tiefe Freundschaft verband ihn mit Einstein und überdauerte im

Die Berner «Akademie Olympia»: Conrad Habicht, Maurice Solovine und Albert Einstein, um 1903

Briefwechsel die Wirrnisse jener Jahre, da Einstein zunächst in Berlin und dann in den USA und Solovine in Frankreich eine Heimstatt gefunden hatten. Fast fünfzig Jahre später erinnert sich Einstein: *Es war doch eine schöne Zeit damals in Bern, als wir unsere lustige «Akademie» betrieben, die doch weniger kindisch war, als jene respektablen, die ich später von Nahem kennengelernt habe.*[62] Noch zwei Jahre vor seinem Tod schreibt er:

An die unsterbliche Akademie Olympia!

In deinem kurzen aktiven Dasein hast du in kindlicher Freude dich ergötzt an allem was klar und gescheit war. Deine Mitglieder haben dich geschaffen, um sich über deine großen und aufgeblasenen Schwestern lustig zu machen. Wie sehr sie damit das Richtige getroffen haben, hab ich durch langjährige sorgfältige Beobachtung voll zu würdigen gelernt.

Wir alle drei Mitglieder haben uns zum Mindesten als dauerhaft erwiesen. Wenn sie auch schon etwas krächelig sind, so strahlt doch noch etwas von deinem heiteren und belebenden Licht auf unsern einsamen Lebenspfad; denn du bist nicht mit ihnen alt geworden und ausgewachsen wie eine ins Kraut gewachsene Salatpflanze.

Dir gilt unsere Treue aus Anhänglichkeit bis zum letzten hochgelehrten Schnaufer! Das nunmehr nur korrespondierende Mitglied

A. E.

Princeton, 3. IV. 53[63]

Philosophie

Das Interesse für Philosophie war bei mir immer da […][64], schrieb Einstein an Solovine. Einer der Mitschüler in Aarau, Hans Byland, berichtete, Einstein habe sich an Immanuel Kants «Kritik der reinen Vernunft» berauscht. Als Student besuchte er neben den obligatorischen Veranstaltungen Vorlesungen über die «Theorie des wissenschaftlichen Denkens» und die Philosophie Kants. Zu dem Königsberger Philosophen versuchte Einstein immer wieder einen Bezug zu finden. So heißt es in einem Brief an Max Born: *Ich lese hier unter anderm Kants Prolegomena und fange an, die ungeheure suggestive Wirkung zu begreifen, die von diesem Kerl ausgegangen ist und immer noch ausgeht. Wenn man ihm nur die Existenz synthetischer Urteile a priori zugibt, ist man schon gefangen. […] Immerhin ist es sehr hübsch zu lesen, wenn auch nicht so schön wie sein Vorgänger Hume, der auch bedeutend mehr gesunden Instinkt hatte.*[65]

In der Société française de Philosophie in Paris hat man Einstein gefragt, ob seine Lehre vielleicht mit der Kants in Widerspruch stehe, worauf er antwortete: *Das ist schwer zu sagen. Jeder Philosoph hat eben seinen eigenen Kant.*[66] Auch Einstein gestand sich dieses Recht zu. Das Wertvolle an Kants Lehre, so meinte er, stecke in dem Satz: *Das Wirkliche ist uns nicht gegeben, sondern aufgegeben (nach Art eines Rätsels).*[67] Dieses Rätsel nach seinem Vermögen und für seinen Bereich zu lösen, die «aufgegebene» Wirklichkeit in eine «gegebene» zu verwandeln, war für Einstein die höchste Aufgabe.

Einstein konnte nicht jede Philosophie aufnehmen; was seiner Denkgewohnheit und seiner Mentalität zuwiderlief, musste er ablehnen. Der ehemalige Assistent von Karl Jaspers, Hans Saner, berichtete davon, wie man Einstein einige Schriften von Jaspers vorlegte mit der Bitte, eine Empfehlung für eine Berufung nach Princeton auszusprechen. Nach der Lektüre habe Einstein geäußert, eine Empfehlung sei ihm unmöglich, denn Jaspers' Philosophie sei – wie die Hegels – *das Gefasel eines Trunkenen*[68].

In ähnlicher Weise urteilte Einstein über Aristoteles. Er las seiner kranken Schwester in Princeton gelegentlich einiges aus den philosophischen Schriften des Stagiriten vor. *Es war eigentlich recht enttäuschend, wenn es nicht so dunkel und konfus wäre, hätte sich diese Art Philosophie nicht so lange halten können. Aber die meisten Menschen haben eben einen heiligen Respekt vor Worten, die sie nicht begreifen können, und betrachten es als ein Zeichen der Oberflächlichkeit eines Autors, wenn sie ihn begreifen können.*[69]

Philosophie, die er begreifen konnte und ganz in sich aufnahm, waren die erkenntnistheoretischen Erörterungen von David Hume und Ernst Mach. Dass er sich gerade mit Erkenntnistheorie befasst hatte, nimmt nicht wunder, denn die Relativitätstheorie übertrifft, wie Max Planck urteilte, «wohl alles, was bisher in der spekulativen Naturforschung, ja in der philosophischen Erkenntnistheorie geleistet wurde»[70].

Philosophie war für Einstein nicht begriffliche Arbeit, stringente Entfaltung einer Gedankenreihe – dies leistete er auf dem Feld der Physik. Philosophie war Quelle von Ideen, die seine Kreativität anregten. Er schmökerte in seinem Schopenhauer, aber es gibt keinen Hinweis, dass er sich systematisch mit dessen Schriften beschäftigt hätte, wie es Fachphilosophen tun. Er behielt die Hauptgedanken eines Philosophen im Gedächtnis. Kennzeichnend für Einstein war, dass sich seine eigenen philosophischen Überzeugungen, die er im Laufe seines Lebens gesammelt hatte, zu stabilen kognitiven Grundsätzen verdichteten – sogar dann noch, wenn, wie im Falle der Quantenphysik, empirische Daten ihre Revision gefordert hätten. Starke Gefühle, *Intuitionen*[71] durchwoben sein philosophisches Credo, das sich der Eklektiker[72] aus unterschiedlichen Fragmenten der Philosophiegeschichte zu einer eigenwilligen gedanklichen Komposition kristallisierte. Nicht nur inspirierte die Philosophie Einstein, sondern auch umgekehrt sein physikalisches Denken die Philosophie. Ein berühmtes Beispiel ist mit dem Namen Karl Popper verbunden: Zu der Konzeption seines Hauptwerks «Logik der Forschung» habe ihn Einsteins Physik angeregt. Und Einstein selbst meinte hierzu: *Es ist das schönste Los einer physikalischen Theorie, wenn sie selbst zur Aufstellung einer umfassenden Theorie den Weg weist [...].*[73] Popper, der den Physiker in Princeton aufsuchte und mit ihm diskutierte, zählt zu den vielen Zeugen, die sich von Einsteins philosophischer Kompetenz und Weisheit bezaubern ließen.

Musik

Ich denke oft an Musik. Ich erlebe meine Tagträume in Musik. Ich sehe mein Leben in musikalischen Formen. Und [...] ich weiß, daß mir die meiste Lebensfreude aus meiner Geige kommt.[74]

Einsteins Mutter spielte Klavier und hielt ihren Sohn vom sechsten Lebensjahr dazu an, das Violinspiel zu erlernen. Durch unermüdliches Üben wurde er zu einem guten Geiger. Der Violinvirtuose Boris Schwarz, mit dem er gelegentlich in Berlin und Princeton musizierte, urteilte: «Sein Spiel brachte einen reinen Ton hervor. Mit wenig Vibrato.»[75] In mittleren Jahren hat sich der beruflich stark beanspruchte Einstein zwar unzufrieden über seine mangelhafte Technik geäußert, doch lag seine Stärke ohnehin stets im Ausdruck. «Wie Einstein Mozart spielte, war einzig», bekundete der Cellist Alexander Barjansky. «Ohne ein Virtuose zu sein und vielleicht gerade deswegen, hat er die Tiefe und Tragik des Mozartschen Genies so selbstverständlich auf seiner Geige wiedergegeben.»[76]

Musizieren war für ihn der Königsweg zum Anderen. Zu Einsteins Freunden zählten Musiker und Physiker, die größtenteils ebenfalls ein Instrument spielten. Über sechs Jahrzehnte begleitete ihn sein Geigenkasten, mit dem er sogar die Sitzungen der Akademie der Wissenschaften aufsuchte. Als er 1921 in Prag einen Vortrag hielt, spielte er dem Publikum am Schluss auf seiner Geige vor. Die Zurückhaltung, mit der Einstein in seinem ausgeprägten Individualismus den Mitmenschen sonst begegnete, wich einer entspannten Offenheit, wenn es um Musik ging. Zu seinem späteren Assistenten Dr. Ludwig Hopf konnte er deshalb ein besonders herzliches Verhältnis finden, weil Hopf in der Lage war, ihn am Klavier zu begleiten. In Einsteins Biographie reihen sich solche Begegnungen und Beziehungen über die Musik sein Leben lang aneinander. Wo immer er sich aufhielt, traf er aktive Musikfreunde: in München, in der Schweiz und in Italien, in Prag, in Belgien, Holland, Frankreich und England, in Berlin und in den Vereinigten Staaten.

Einige wenige jener Begebenheiten seien erwähnt. Er war siebzehn Jahre alt, als er bei einer öffentlichen Aufführung des Aarauer Schulorchesters den Solopart spielte. «Zählst du eigentlich?», fragte ihn ein Schulkamerad. *I wo, das liegt mir halt im Blut.*[77] Als seine Geige zu singen anhob, schien es seinem Mitschüler Hans Byland, als hätte sich der Saal geöffnet, «zum ersten Mal erstand der ganze echte Mozart vor mir [...]. *Das ist gottvoll, wir müssen's wiederholen!* rief er aus.»[78]

Als Physikstudent in Zürich spielte Einstein – für Musik hatte er eigentlich immer Zeit – zusammen mit Susanne Markwalder. Währenddessen hörte er einmal aus dem Nachbarhaus Klaviermusik ertönen. Rasch packte er seine Geige unter den Arm und stürmte ins nachbarliche Gebäude. *Spielen Sie nur weiter*[79], begrüßte er eine erstaunte ältere Dame, die sich als Klavierlehrerin vorstellte, und mit der er sogleich ihren Mozart fortsetzte. Als er zu der verblüfften Susanne Markwalder zurückgekehrt war, freute er sich: *Das ist ja ein reizendes Jüngferchen! – Von nun an werde ich öfters mit ihr spielen.*[80]

Was ihn mit Planck verband, war gewiss in erster Linie eine höchst fruchtbare Kooperation auf dem Gebiet der Physik. Aber Planck war auch ein geschulter Tenor, trat als junger Mann in

Seit dem sechsten Lebensjahr die liebste Nebenbeschäftigung: das Violinspiel

Opern und Operetten auf und war zudem Pianist. In seiner Berliner Wohnung wurde Hausmusik gemacht. Lise Meitner befand sich einmal unter den Gästen. «Das Zuhören war ein wunderbarer Genuß, für den ein paar zufällige Entgleisungen Einsteins nichts bedeuteten. […] Einstein [war] sichtlich erfüllt von der Freude an der Musik […].»[81]

Einstein machte 1930 auf einer Reise in Brüssel Station, als er zu seiner Überraschung von König Albert und Königin Elisabeth von Belgien zum Abendessen eingeladen wurde. Um drei Uhr fuhr er *zu Königs, wo ich mit rührender Herzlichkeit aufgenommen wurde. Diese beiden Leutchen sind von einer Reinheit und Güte, die selten zu finden ist. Erst unterhielten wir uns etwa eine Stunde. Dann kam eine englische Musikantin, und wir musizierten zu viert […] ein paar Stunden lang und sehr vergnügt […]. Es gefiel mir dort über die Maßen, und ich bin sicher, dass dieses Gefühl gegenseitig ist.*[82] Wieder war es die Musik, die eine Freundschaft für die Zukunft, vor allem mit Königin Elisabeth, stiftete; es entspann sich ein Briefwechsel. In einem der letzten Schreiben des alternden Physikers an die Königin heißt es: *Mit der Geigerei ist nichts mehr bei mir. Mit den Jahren kam es, daß ich die selbsterzeugten Töne einfach nicht mehr aushalten konnte. Hoffentlich ist es Ihnen nicht auch so ergangen.*[83]

Das Band der Musik ließ ihn nicht nur seine Fremdheit gegenüber Fachkollegen vergessen, auch zu seiner Schwester Maja unterhielt er nicht zuletzt durch gemeinsames Musizieren eine herzliche Beziehung. Während ihres Studiums der Romanistik in der Schweiz lebte sie in der Nähe ihres Bruders, und nach den Ehejahren mit dem Maler Paul Winteler, die das Paar in der Toskana verbrachte, wohnte sie bei Einstein in Princeton. Maja war als Pianistin hoch begabt und machte leidenschaftlich gern und oft mit ihrem Bruder Hausmusik. Aus Princeton schrieb sie einmal: «Ihr werdet denken, ich sei eine verliebte Schwester.»[84]

Einstein war kein Musiktheoretiker. *Bach – hören, spielen, lieben, verehren – und das Maul halten.*[85] Er hörte ihn – Einstein besuchte häufig Konzerte –, er spielte ihn und verehrte ihn neben Mozart als einen seiner Lieblingskomponisten. Er schätzte auch Schumann, Schubert, Brahms, nicht jedoch Wagner, dessen Musik er *meist nur mit Widerwillen*[86] vernahm. Dass für Einstein Musik der Inbegriff spirituellen Ausdrucks gewesen sein mag, darauf verweist eine letzte Anekdote: Als er 1929 mit leuchtenden Augen den dreizehnjährigen Yehudi Menuhin hörte, eilte er nach Konzertende ins Künstlerzimmer, umarmte das junge Geigengenie und rief: *Jetzt weiß ich, dass es einen Gott im Himmel gibt.*[87] Mit Musik verband Einstein das Wunder schöpferisch-geistiger Höchstleistungen. *Dies ist höchste Musikalität auf dem Gebiet des Gedankens*[88], schwärmte er von Niels Bohrs Atomtheorie.

Bildende Kunst und Literatur

Man hat Einstein die Frage gestellt, ob er wesentliche Zusammenhänge zwischen Künstlertum und Wissenschaft sehe. Er bejahte und meinte, der psychologische Grundtrieb dürfte in beiden Fällen der Gleiche sein: *[...] alle Religionen, Künste und Wissenschaften sind Zweige desselben Baumes.* Der schöpferische Mensch bemühe sich, *ein vereinfachtes und übersichtliches Bild* als Ersatz für sein wirbelndes persönliches Erleben zu gestalten. In dieses Bild verlege er *den Schwerpunkt seines Gefühlslebens*, um auf diese Weise *Ruhe und Festigkeit* zu suchen. *Dies tut der Maler, der Dichter, der spekulative Philosoph und der Naturforscher, jeder in seiner Weise.*[89]

Ein Liebesverhältnis wie zur Musik fand Einstein zur bildenden Kunst und zur Literatur wohl nicht. Was die Malerei betrifft, so lassen sich wenigstens zwei Episoden anführen. 1923 wanderte er staunend zwei Tage lang durch die Säle des Prado in Madrid, um Bilder von Velázquez, Goya und El Greco zu bewundern. *Herrliche Werke*[90], resümierte er. In seinem Reisetagebuch heißt es: *Ein begeisterter alter Mann, der Bedeutendes über Greco geschrieben haben soll, führt uns [durch] Straßen und Marktplatz [...]. Herrliches Bild in kleiner Kirche (Beerdigung eines Nobile) gehört zum tiefsten, was ich sah.*[91]

Über zeitgenössische Kunst konnte er sich kritisch äußern. Besonders empfindlich mache sich der Mangel an Individualitäten auf dem Gebiet der Kunst bemerkbar. Malerei und Musik seien deutlich degeneriert und hätten ihre Resonanz im Volk weitgehend verloren. Doch er schätzte den Maler Josef Scharl, der Einstein in Berlin und später in Princeton mehrmals porträtierte. Scharl malte in grellen Farben, liebte das Dekorative und fand darin einen eigenen Stil. Viele der Bilder aus seinem Œuvre von etwa 3000 Werken wirken aggressiv, gesellschaftskritisch und politisch-satirisch. Zu Einsteins Zeiten erregten sie oft öffentliches Ärgernis und galten unter den Nazis als «entartet». Aber dem Modell Einstein gefiel diese Kunst, zudem mochte er des Malers Gesprächskultur und Witz. Wie vielen anderen half er 1938 dem Münchner Maler durch eine Bürgschaft, im Anschluss an eine Rei-

Albert Einstein, Gemälde von Josef Scharl, 1950

se in die USA in Amerika zu bleiben, wo der Künstler einen bitteren Existenzkampf bestehen musste. Als Scharl 1954, ein Jahr vor Einstein, starb, verfasste der Physiker für den Maler sogar eine Totenrede. *Nur durch wenige Jahre hatte ich das Glück, diesen warmherzigen und bedeutenden Menschen persönlich zu kennen. Aber diese wenigen Jahre genügten, eine feste, innige und beglückende Freundschaft zu begründen. Alles an ihm war echt, ursprünglich und unverdorben […]. Als geborener großer Künstler folgte er nur der inneren Stimme, die ihn unentwegt den sicheren Weg zu steigender Meisterschaft und Reife finden ließ. Die Modetorheiten auf dem Kunstgebiet konnten ihm nichts anhaben, obwohl er keineswegs durch überkommene Formen und Vorur-*

teile gebunden war [...]. Das Häuflein derer, die die Kunst wirklich lieben und verstehen, wird in steigendem Maße zu schätzen wissen, was er der Welt gegeben hat.[92]

Mit poetischer Literatur, gab Einstein zu, habe er sich weniger beschäftigt. *Zum Teil hängt dies damit zusammen, daß mir das eigentlich Künstlerische leicht dadurch verloren ging, daß mich die geschilderten Schicksale als solche zu stark packten, so daß darunter die künstlerische Wirkung litt. Ich liebte mehr Bücher weltanschaulichen Inhalts und im besonderen philosophische. Schopenhauer, Hume, Mach, zum Teil Kant, Plato und Aristoteles. Von eigentlich literarischen Werken Shakespeares Dramen und Lustspiele, Heines Gedichte und Schiller (die Rosinen, aber nicht der Kuchen), «Krieg und Frieden» von Tolstoi; auch «Anna Karenina» und «Die Auferstehung», die «Brüder Karamasoff» von Dostojewski, auch Gottfried Keller.*[93] Unter den Dichtern habe ihm Dostojewskij mehr gegeben als irgendein Wissenschaftler, bekannte Einstein. *Ich lese,* schrieb er 1920 an den Freund Paul Ehrenfest, *mit Begeisterung «Die Brüder Karamasoff». Es ist das wunderbarste Buch, das ich je in der Hand gehabt habe [...].*[94] Auch die Märchen des *begnadeten Dichters*[95] Hans Christian Andersen begeisterten Einstein, besonders die «Chinesische Nachtigall». Ein anderes viel gelesenes Werk lag immer in greifbarer Nähe: Cervantes' «Don Quichotte». Wie in einem Spiegel vermochte er sich selbst in der Freiheit des Humors wiederzuerkennen: Humor nicht als Folge der Verbitterung, sondern als schöpferische Quelle vor dem Hintergrund eines herben Realismus.

Überhaupt bevorzugte Einstein literarische Arbeiten, die eine Revolte gegen ein herrschendes System, gegen eine Diktatur oder die kranke kapitalistische Zivilisation thematisierten. Der *Voltaire unserer Tage*[96], George Bernard Shaw, dessen Possenphantasie analysiert und sich auflehnt, wurde von Einstein verehrt. Anna Seghers' Erstling «Die Fischer von St. Barbara», welche einen hoffnungslosen Aufstand gegen übermächtige Reedereien wagen, lag auf dem Nachttisch. Darunter B. Travens «Totenschiff»: Wieder eine verzweifelte Geschichte angesichts des Abschaums der Zivilisation, die ein Fliehender auf hoher See erlebt, der dann in Mexiko alternative Lebensgrundwerte entdeckt. Nicht auf Marx, sondern auf die Christusgestalt blickt der zeitkritische Albert Schweitzer, dessen Selbstbericht «Zwischen Wasser und Urwald» Einstein empfahl. Die Maxime der Ehrfurcht vor dem Leben, die Schweitzer während einer Flussfahrt auf dem Ogowe in Zentralafrika als ethisches Prinzip erkannte, deckte sich mit Einsteins Grundüberzeugungen.

Einstein konnte anerkannte literarische Werke auch regelrecht abwerten. Er hatte einiges von Novalis gelesen und kam zu der Auffassung: *Mir erscheint die Romantik als eine Art illegitimen Auswegs; um auf verhältnismäßig billige Art zu einer tieferen Erfassung der Kunst zu kommen […].*[97] Ähnlich eindeutig fiel auch Einsteins Ablehnung von Artikeln der Tagespresse und mancher zeitgenössischer Literatur aus: *Einer, der nur Zeitungen liest und wenn's hoch geht, Bücher zeitgenössischer Autoren, kommt mir vor wie ein hochgradig Kurzsichtiger, der es verschmäht, Augengläser zu tragen. Er ist abhängig von den Vorurteilen und Moden seiner Zeit, denn er bekommt nichts anderes zu sehen und zu hören. Und was einer selbständig denkt ohne Anlehnen an das Denken und Erleben anderer, ist auch im besten Falle ziemlich ärmlich und monoton. – Der klugen Menschen mit klarem Geist und Stil und mit gutem Geschmack sind gar wenige in einem Jahrhundert. Was von ihnen bewahrt worden ist, gehört zum wertvollsten Gut der Menschheit. Einigen Schriftstellern des Altertums ist es zu verdanken, daß die Menschen im Mittelalter sich langsam aus dem Aberglauben und der Unwissenheit herausarbeiten konnten, die mehr als ein halbes Jahrtausend lang das Dasein verdunkelte. – Mehr braucht man nicht, um den Gegenwarts-Hochmut zu überwinden.*[98]

Wege zum theoretischen Physiker

An ihn denken heißt an sein Werk denken. Denn ein solcher Mann kann nur verstanden werden, wenn man ihn als einen Schauplatz begreift, auf dem der Kampf um die ewige Wahrheit stattfand.[99] Als Einstein diesen Satz 1942 formulierte, hatte er den großen Isaac Newton im Blick. Begreifen wir in der Folge Einstein als Schauplatz und beschreiben die spannenden Ereignisse seiner Entwicklung zum großen Physiker.[100]

Erste Begegnung mit der Naturwissenschaft

Einige Erlebnisse, die für Einsteins späteres Forschen eine Rolle spielen, scheinen Kindheit und Jugend bestimmt zu haben. Er sieht in ihnen keine bloßen Begebenheiten, sondern Herausforderungen an seinen jungen Geist, die im *Sich-Wundern* Ausdruck finden. *Dies «sich-wundern» scheint dann aufzutreten, wenn ein Erlebnis mit einer in uns hinreichend fixierten Begriffswelt in Konflikt kommt. Wenn solcher Konflikt hart und intensiv erlebt wird, dann wirkt er in entscheidender Weise zurück auf unsere Gedankenwelt [...]. Ein Wunder solcher Art erlebte ich als Kind von 4 oder 5 Jahren, als mir mein Vater einen Kompaß zeigte. Daß diese Nadel in so bestimmter Weise sich benahm, paßte so gar nicht in die Art des Geschehens hinein, die in der unbewußten Begriffswelt Platz finden konnte (an «Berührung» geknüpftes Wirken). Ich erinnere mich noch jetzt – oder glaube mich zu erinnern –, daß dies Erlebnis tiefen und bleibenden Eindruck auf mich gemacht hat. Da mußte etwas hinter den Dingen sein, das tief verborgen war. Was der Mensch von klein auf vor sich sieht, darauf reagiert er nicht in solcher Art, er wundert sich nicht über das Fallen der Körper, über Wind und Regen, nicht über den Mond und nicht darüber, daß dieser nicht herunterfällt, nicht über die Verschiedenheit des Belebten und des Nichtbelebten.*[101]

An der Wiege von Einsteins Forschungsleben steht ein zweites *Wunder.* Er erlebte es als Zwölfjähriger *an einem Büchlein über*

Euklidische Geometrie der Ebene, das ich am Anfang eines Schuljahrs in die Hand bekam. Da waren Aussagen wie z. B. das Sichschneiden der drei Höhen eines Dreieckes in einem Punkt, die – obwohl an sich keineswegs evident – doch wohl mit solcher Sicherheit bewiesen werden konnten, daß ein Zweifel ausgeschlossen zu sein schien. Diese Klarheit und Sicherheit machte einen unbeschreiblichen Eindruck auf mich. Daß die Axiome unbewiesen hinzuzunehmen waren, beunruhigte mich nicht. Überhaupt genügte es mir vollkommen, wenn ich Beweise auf solche Sätze stützen konnte, deren Gültigkeit mir nicht zweifelhaft erschien. Ich erinnere mich beispielsweise, daß mir der pythagoräische Satz von einem Onkel mitgeteilt wurde, bevor ich das heilige Geometriebüchlein in die Hand bekam. Nach harter Mühe gelang es mir, diesen Satz auf Grund der Ähnlichkeit von Dreiecken zu «beweisen»; dabei erschien es mir «evident», daß die Verhältnisse der Seiten eines rechtwinkligen Dreiecks durch einen der spitzen Winkel völlig bestimmt sein müssen. Nur was nicht in ähnlicher Weise «evident» erschien, schien mir überhaupt eines Beweises zu bedürfen. Auch schienen mir die Gegenstände, von denen die Geometrie handelt, nicht von anderer Art zu sein als die Gegenstände der sinnlichen Wahrnehmung, «die man sehen und greifen konnte» […].

Wenn es so schien, daß man durch bloßes Denken sichere Erkenntnisse über Erfahrungsgegenstände erlangen könne, so beruhte dieses «Wunder» auf einem Irrtum. Aber es ist für den, der es zum ersten Mal erlebt, wunderbar genug, daß der Mensch überhaupt imstande ist, einen solchen Grad von Sicherheit und Reinheit im bloßen Denken zu erlangen, wie es uns die Griechen erstmalig in der Geometrie gezeigt haben.[102]

Das Sich-Wundern behält für Einstein zeitlebens, über alle Altersstufen hinweg, eine ursprüngliche Bedeutung. *Das Schönste, was wir erleben können, ist das Geheimnisvolle. Es ist das Grundgefühl, das an der Wiege von wahrer Kunst und Wissenschaft steht. Wer es nicht kennt und sich nicht mehr wundern, nicht mehr staunen kann, der ist sozusagen tot und sein Auge erloschen.*[103]

Der Nobelpreisträger für Physik James Franck erfuhr von Einstein: *Wenn ich mich frage, woher es kommt, daß gerade ich die Relativitätstheorie gefunden habe, so scheint es an folgendem Umstand zu liegen: Der normale Erwachsene denkt nicht über die Raum-Zeit-Probleme nach. Alles, was darüber nachzudenken ist, hat er nach seiner Meinung bereits in der frühen Kindheit getan. Ich dagegen habe mich derart langsam entwickelt, daß ich erst anfing, mich über Raum und Zeit zu wun-*

dern, als ich bereits erwachsen war. Naturgemäß bin ich dann tiefer in die Problematik eingedrungen als ein gewöhnliches Kind.[104]

Bedeutsam für die Entwicklung des jungen Einstein mochte auch die Begegnung mit einer volkstümlich geschriebenen Darstellung der gesamten bis dahin bekannten Naturwissenschaft von Aaron Bernstein gewesen sein: *[…] ein Werk, das ich mit atemloser Spannung las.*[105] Der Verfasser hatte an den Anfang aller Naturbetrachtung die Frage nach der Lichtgeschwindigkeit gestellt. «Wenn man sonst von der Geschwindigkeit sprach, mit welcher das Licht die Räume durchfliegt, so hielten es viele für eine Fabel oder eine wissenschaftliche Übertreibung. Jetzt, wo man täglich Gelegenheit hat, die Geschwindigkeit des elektrischen Stromes am elektromagnetischen Telegraphen zu bewundern, jetzt leuchtet es auch wohl allen ein, daß es Naturkräfte gibt, die in unbegreiflichen Geschwindigkeiten sich durch den Raum fortpflanzen.»[106] Es ist möglich, dass Einstein hier zum ersten Mal auf die Frage der Lichtgeschwindigkeit und deren grundlegende Bedeutung stieß. Jedenfalls betrachtete es Einstein im Rückblick als ein Glück, die wesentlichen Ergebnisse und Methoden der gesamten Naturwissenschaft in einer populären, fast durchweg aufs Qualitative sich beschränkenden Darstellung kennen gelernt zu haben.

Noch ein anderes Buch las Einstein, wie schon erwähnt, *mit Leidenschaft.* Es war jene damals weit verbreitete und heftig befehdete Schrift «Kraft und Stoff», welche die Erkenntnisse der Naturwissenschaft im Geiste des französischen mechanischen Materialismus zu klären versuchte. Der Verfasser Ludwig Büchner – ein Bruder des revolutionären Dichters und Freiheitskämpfers Georg Büchner –, der nach der Revolution 1848/49 wegen seiner Gesinnung eine Dozentur an der Universität Tübingen verloren hatte, machte es sich zur Aufgabe, das Gebäude einer atheistisch-materialistischen Naturauffassung zu errichten, in dem kein Platz für Überkommenes, nicht an der Wirklichkeit beweisbares Gedankengut sein sollte. Richtete sich sein streitbarer Geist auch in erster Linie gegen das im religiösen Glaubensgut überlieferte Denken («So oft die Wissenschaft einen Schritt vorwärts macht, weicht Gott einen Schritt zurück», war eines seiner Leitworte), so wirkte sich die Lektüre dieses Buches bei dem jungen Einstein doch weit entscheidender aus: *Die Folge war [jene] geradezu fanati-*

sche Freigeisterei, verbunden mit dem Eindruck, daß die Jugend vom Staate mit Vorbedacht belogen wird.[107] Aus diesem Erlebnis ist das *Mißtrauen gegen jede Art Autorität* erwachsen, *eine Einstellung, die mich nicht wieder verlassen hat [...].*[108]

Ludwig Büchner, um 1870

Die ersten Begegnungen mit der Physik genügten dem Heranwachsenden, sich über sein Berufsziel klar zu werden. Sie weisen auch bereits die Richtung in die geistige Unabhängigkeit und Freiheit, die Einstein für die Behandlung seiner Probleme brauchte.

Nach seiner Münchner Schulzeit machte er sich mit den Elementen der Mathematik vertraut, *inklusive der Prinzipien der Differential- und Integralrechnung*[109]. Dabei war es wieder ein günstiges Geschick, *auf Bücher zu stoßen, die es nicht gar zu genau nahmen mit der logischen Strenge, dafür aber die Hauptgedanken übersichtlich hervortreten ließen. Diese Beschäftigung war im Ganzen wahrhaft faszinierend; es gab darin Höhepunkte, deren Eindruck sich mit dem der elementaren Geometrie sehr wohl messen konnte.*[110]

Am Polytechnikum in Zürich hätte Einstein eine fundierte mathematische Ausbildung erfahren können. Die Lehrer Adolf Hurwitz und Hermann Minkowski, so urteilt er selbst, seien vortrefflich gewesen. Dennoch: *Daß ich die Mathematik bis zu einem gewissen Grade vernachlässigte, hatte nicht nur den Grund, daß das naturwissenschaftliche Interesse stärker war als das mathematische, sondern das folgende eigentümliche Erlebnis. Ich sah, daß die Mathematik in viele Spezialgebiete gespalten war, deren jedes diese kurze uns vergönnte Lebenszeit wegnehmen konnte. So sah ich mich in der Lage von Buridans Esel, der sich nicht für ein besonderes Bündel Heu entschließen konnte. Dies lag offenbar daran, daß meine Intuition auf mathematischem Gebiet nicht stark genug war, um das Fundamental-Wichtige, Grundlegende sicher von dem Rest der mehr oder weniger entbehrlichen Gelehrsamkeit zu unterscheiden. Außerdem war aber auch das Interesse für die Naturerkenntnis unbedingt stärker; und es wurde mir als Student nicht klar, daß der Zugang zu den tieferen prinzipiellen Erkenntnissen in der Physik an die feinsten mathematischen Methoden gebunden war. Dies dämmerte mir erst allmählich nach Jahren selbständiger wissenschaftlicher Arbeit.*[111]

Wäre ich noch einmal ein junger Mensch und stünde ich erneut vor der Entscheidung über den besten Weg, meinen Lebensunterhalt zu verdienen, so würde ich nicht ein Wissenschaftler, Gelehrter oder Pädagoge, sondern eher ein Klempner oder Hausierer werden wollen, in der Hoffnung, mir damit jenes bescheidene Maß von Unabhängigkeit zu sichern, das unter den heutigen Verhältnissen noch erreichbar ist.

Albert Einstein

Während seines einjährigen Aufenthalts an der Aarauer Kantonsschule beschäftigte sich Einstein bereits mit zwei Fragen, deren Beantwortung ihn viele Jahre harter Arbeit kosten sollte. Die erste lautete: Was würde geschehen, wenn ich hinter einem Lichtstrahl hereilen und ihn schließlich einholen würde? Diese ungewöhnliche Überlegung führte zehn Jahre später zu einer nicht minder ungewöhnlichen Entdeckung: zur Speziellen Relativitätstheorie. Und die zweite wunderliche Frage war: Wie würden sich physikalische Vorgänge in einem frei fallenden Aufzug verhalten? Nach sechzehn Jahren Gedankenarbeit gibt Einstein hierauf in seiner Allgemeinen Relativitätstheorie die Antwort.

Studium durch Selbststudium

Einen Teil der Vorarbeiten zu seinem späteren Werk konnte Einstein schon während seines Studiums am Polytechnikum in Zürich in Angriff nehmen, wenngleich dort die Physik nicht besonders begünstigt war, wie es Professor Adolf Fisch[112] darstellt. «Was nach Helmholtz kam, wurde einfach ignoriert. Nach Abschluß der Studien kannte man die Vergangenheit der Physik, aber nicht ihre Gegenwart und Zukunft.»[113] Einstein wollte Entscheidendes über die elektromagnetische Lichttheorie erfahren, doch die Vorlesungen klammerten diesen Problemkreis aus. Er half sich selbst. Daheim in seinem Zimmer studierte er die Schriften von Ernst Mach, Heinrich Hertz, Gustav Robert Kirchhoff, Henri Poincaré und James Clerk Maxwell. Der Student übte sich in der geistigen Auseinandersetzung mit bedeutenden physikalischen Theorien. Jahre später brachte er die Ernte seiner Gedankenarbeit in die Diskussion mit Gleichgesinnten ein: In zahlreichen Briefen wurden wissenschaftliche Vermutungen ventiliert und konnten durch kritische Erwiderungen reifen.[114]

Einen hervorragenden Platz unter jenen Denkanstößen nahmen die Ausführungen von Ernst Mach ein. Mach zog nicht nur den «absoluten Raum» und die «absolute Zeit» in Zweifel, sondern legte in seinen Schriften jenen roten Faden frei, der die Geschichte der Physik durchzieht und den Einstein aufnehmen konnte. Denn bei der Relativitätstheorie *handelt es sich keineswegs um einen revolutionären Akt, sondern um eine natürliche Fortentwicklung einer durch Jahrhunderte verfolgbaren Linie*[115].

Diese Linie hob sich für Einstein immer deutlicher von dem Hintergrund der theoretischen Physik ab. Die scheinbar gesicherten historischen Erkenntnisse ließen Widersprüche erkennen. Auf der einen Seite gab es Newtons Bewegungsgleichungen und die zu seiner Lehre gehörenden Kraft- und Maßbestimmungen; auf der anderen begegnete Einstein Maxwells Elektrodynamik, dem *faszinierendsten Gegenstand*[116] seines Studiums.

Newtons Physik geht in ihrer mechanischen Konzeption vom *materiellen Punkt*[117] als dem einzigen Repräsentanten des Physikalisch-Realen aus. *Alles Geschehen sollte mechanisch; d. h. als bloße Bewegung der materiellen Punkte nach Newtons Bewegungsgesetz aufgefaßt werden.*[118] Durch Maxwells Theorie der Elektrizität, gestützt auf die Experimente von Heinrich Hertz[119], trat das nicht mechanisch deutbare, kontinuierliche Feld auf. Eine Verbindung dieser beiden grundsätzlichen, wesensverschiedenen Theorien schien allen Physikern die *höchste Aufgabe*[120] zu sein. Nur war eben die Frage, zu wessen Gunsten oder Nachteil eine Vereinigung entscheiden werde. Sollte Maxwells Feldphysik oder Newtons Auffassung des Physikalisch-Realen die einzige Basis für die gesamte Physik abgeben? Dieses Problem bewegte Einstein in den Züricher Studienjahren lebhaft. Fünf Jahre später legte er seinen ersten Lösungsversuch vor.

Der Denker

Als Einstein einmal gefragt wurde, woher er seine Begabung habe, antwortete er: *Ich habe keine besondere Begabung, sondern bin nur leidenschaftlich neugierig.*[121]

Verbunden mit dieser leidenschaftlichen Neugier war Einsteins Konzentrationsfähigkeit überragend, ungeachtet jeder äußeren Umgebung. Sein Freund Leopold Infeld, der lange in Princeton mit ihm zusammengearbeitet hat, schreibt: «Er wußte, wie man hartnäckig eine ganze schlaflose Nacht hindurch und an Tagen, die mit Aktivität und verschiedenen Beschäftigungen ausgefüllt sind, über seine Probleme nachdenkt. Diese Konzentrationsgabe war das wesentliche Charakteristikum von Einsteins Denken.»[122]

Ein zweites wichtiges Merkmal seines Arbeitsstils war die Fähigkeit, seine Gedanken klar, prägnant und oft in pointierter Sprache zu formulieren. Einsteins Arbeit im Patentamt in Bern trug hier Früchte; er hatte Urkunden auszufertigen und musste lernen, das Wesentliche einer Erfindung kurz, unmissverständlich und korrekt auszudrücken. Die Erfinder selbst konnten ihre Idee oft nur unverständlich vortragen. Einstein hatte die Gabe und Freude daran, sich in ihre ihm fremden Gedankengänge einzuleben. «Es ist für Einsteins lebhaften und eindringlichen Geist immer ein Genuß gewesen, einem wirren Gedankengang zu folgen, ihn zu entwirren und die Fehler zu finden.»[123]

Der dritte Faktor, und wohl der wichtigste, mag mit dem Begriff des wissenschaftlichen Instinkts umschrieben werden. *Es ist ganz sonderbar bei den wissenschaftlichen Bestrebungen: oft ist nichts von größerer Wichtigkeit, als zu sehen, wo es nicht angezeigt ist, Zeit und Mühe anzuwenden. Man muß andrerseits auch nicht den Zielen nachgehen, deren Erreichung leicht ist. Man muß einen Instinkt darüber erlangen, was unter Aufbietung der äußersten Anstrengungen gerade noch erreichbar ist.*[124] Einstein verlor diesen gesunden Instinkt nie, oder, wie er es auch nennt, *die Intuition*, das Wesentliche von der bloßen Gelehrsamkeit zu unterscheiden.[125]

Erkenntnistheorie und Science

Ebenso bedeutend wie die Kenntnis moderner physikalischer Theorien war für Einstein das Experiment. Ein Gedanke Galileis machte auf den jungen Forscher tiefen Eindruck. «Die Erfahrung und die sinnliche Wahrnehmung verdienen vor aller Spekulation den Vorzug, auch wenn diese noch so begründet sein mag.»[126] Diesen Satz suchte Einstein, der ein Spekulierender war, zu beherzigen. Immer wieder lesen wir in seiner wissenschaftlichen Korrespondenz von den Bemühungen, seine Gleichungen zu verifizieren. Er ließ sich von dem Prinzip leiten, dass Begriffe und Aussagen, die keine empirische Verifikation zuließen, aus der theoretischen Physik «ausgemerzt» werden sollten.[127] Damit gewann er eine «kraftvolle Methode»[128], ohne deren Hilfe er seine Relativitätstheorien und seine Beiträge zur Quantenphysik nicht hätte entwickeln können.

Galileo Galilei. Zeichnung von Ottavio Leoni, 1600

Mit dem Stichwort *Bezug zur Erfahrung*[129] ist Einsteins empiristische Haltung gekennzeichnet (*die Theorie darf Erfahrungstatsachen nicht widersprechen*[130]). Er arbeitete fast täglich, so berichtet er über seine Studienzeit, im physikalischen Laboratorium, *fasziniert durch die direkte Berührung mit der Erfahrung*[131].

In Anbetracht der Eindeutigkeit, mit der Einsteins Aussagen der Erfahrung die zentrale Bedeutung zusprechen, muss es interessieren, warum er seine Arbeiten nicht auf die Experimentalphysik, sondern auf die theoretische Physik ausrichtete. Möglich, dass seine Liebe zu dieser Disziplin eine etwas unglückliche gewesen ist. *Ich getraue mir nämlich kaum, einen Apparat in die Hände zu nehmen, aus Angst, er könnte explodieren.*[132] Ausschlaggebend dürfte jedoch gewesen sein, dass sein theoretisches, ja spekulatives Interesse von Jugend an größer war als das praktische. *Das Interesse für Naturwissenschaft beschränkte sich immer in der Hauptsache auf das Prinzipielle*[133], schrieb er seinem Freund Solovine.

Im *Bezug zur Erfahrung* sah er den Anker, der seinem Denken Halt geben konnte. Die Ereignisse der Expeditionen von 1919 und 1949, welche die Aussagen der Relativitätstheorie experimentell bestätigen konnten, wurden zu Höhepunkten seines Lebens. Hier kommt ein persönliches Moment zum Ausdruck, das für den theoretisch arbeitenden Physiker bedeutsam ist. Den Denkenden befällt oft ein Gefühl der Unsicherheit: *Das ahnungsvolle, Jahre währende Suchen im Dunkeln mit seiner gespannten Sehnsucht, seiner Abwechslung von Zuversicht und Ermattung und seinem endlichen Durchbruch zur Klarheit kennt nur der, der es selber erlebt hat.*[134] Die Erfahrung, das heißt: allein die Bestätigung des durch Denken Gewonnenen, bringt dem Theoretiker Ruhe. Einstein kannte dieses jahrelange, grüblerische Suchen nur zu gut: *Wer sie kennt [gemeint ist die geistige Arbeit] reißt sich nicht danach.*[135] An seinen Studienfreund Ehrat schrieb er: *Jetzt weiß ich, warum* es *so viele Leute gibt, die gern Holz spalten. Bei dieser Tätigkeit sieht man nämlich immer sofort den Erfolg!*[136]

Noch in einem anderen Sinn steht Einstein in der alten Tradition des Galilei, der mehr Jahre für das Studium der Philosophie als Monate für das der Physik verwandt hatte. Johannes Kepler[137], Leonhard Euler[138] und später Henri Poincaré[139], Bertrand Russell[140], Max Planck[141] versuchten, jeder auf seine Weise, naturwissenschaftliches Denken mit erkenntnistheoretischen Konzeptionen in Verbindung zu bringen. In dieser Hinsicht ist Einsteins Frage zu verstehen: *Wie kommt [...] ein ordentlich begabter Naturforscher überhaupt dazu, sich um Erkenntnistheorie zu kümmern? Gibt es in seinem Fache nicht wertvollere Arbeit?* – und glaubt er seine Fachgenossen dies ablehnend fragen zu hören, antwortet er: *Diese Gesinnung kann ich nicht teilen.*[142] Wenn nicht lediglich Erwerbssinn, Ehrgeiz oder das bloße Vergnügen an reiner Gehirnakrobatik den Forscher bewegen, sich seiner Wissenschaft zuzuwenden, wird er sich die Frage stellen: *Was für ein Ziel will und kann die Wissenschaft erreichen, der ich mich hingebe? Inwiefern sind deren allgemeine Ergebnisse «wahr»? Was ist wesentlich, was beruht nur auf Zufälligkeiten der Entwicklung?*[143]

Die Erkenntnistheorie bereitet für Einstein die physikalische Arbeit vor. Sie schärft das kritische Bewusstsein; Begriffe werden nicht unreflektiert in eine Theorie aufgenommen. So lernte Einstein beispielsweise von David Hume, dass der Begriff der Kausalität nicht aus dem Erfahrungsmaterial abgeleitet werden kann. Und wie dieser sind für ihn alle Begriffe, auch die *erlebnisnächsten, vom logischen Gesichtspunkte aus freie Setzungen.*[144] Solches Wissen war für Einstein unentbehrlich. Die *tüchtigsten Studenten*[145], lehrte ihn seine spätere Erfahrung, *die nicht durch bloße Behendigkeit*[146], sondern durch *Selbständigkeit des Urteils*[147] hervortraten, hatten sich in diesem Sinne *lebhaft um Erkenntnistheorie*[148] bemüht.

Epistemologische Überlegungen dienen ferner der Vergewisserung: dem rationalen, die Stringenz eines Systems überprüfenden Nachvollzug einer Theorie. Science und Erkenntnistheorie sind *aufeinander angewiesen*[149]. Denn *Science ohne Erkenntnistheorie ist – soweit überhaupt denkbar – primitiv und verworren*[150]. Umgekehrt wird Erkenntnistheorie ohne Kontakt mit Science zum *leeren Schema*[151].

Allerdings müssen nach Einstein beide, der Erkenntheoretiker und der Naturforscher, die Grenzen sehen: Jener darf sich nicht dazu verleiten lassen, Science zugunsten seines Gebiets zu interpretieren; denn nur allzu leicht neige er dazu, diejenigen Teile einer Einzelwissenschaft abzulehnen, die nicht in sein Konzept passen wollen. Der Scientist bediene sich zwar der erkenntnistheoretischen Begriffsanalyse, doch seien gerade ihm durch die beobachtbaren Tatsachen äußere Bedingungen gesetzt, die es ihm nicht erlauben, bei der Konstruktion seiner Begriffswelt allzu sehr an einem erkenntnistheoretischen System festzuhalten. Er muss dem Fachphilosophen gelegentlich *als skrupelloser Opportunist*[152] erscheinen. Der Scientist ist Eklektiker, weil er von der Sache her gezwungen wird, sich Aspekte jeweils verschiedener Systeme zu Eigen zu machen. Nach Einstein erscheint er als *Realist*, wenn er eine von den Akten unserer Wahrnehmung unabhängige Außenwelt postuliert; als *Idealist*, wenn er die Meinung vertritt, Begriffe und Theorien seien *freie Erfindungen des menschlichen Geistes* und deshalb nicht aus dem Empirisch-Gegebenen logisch ableitbar; als *Positivist*, solange er glaubt, Begriffe und Theorien seien nur insofern als begründet anzusehen, als sie eine logische Beziehung zwischen sinnlichen Erfahrungsdaten liefern; als *Platoniker* und als *Pythagoräer*, insofern er den Gesichtspunkt der *logischen Einfachheit* als unentbehrliches und wirksames Werkzeug seines Forschens betrachtet.[153]

Wie ist Einsteins Position einzuordnen? Zunächst muss seine Grundfrage beantwortet werden: *Was ist Naturwissenschaft?*[154] Sie ist für ihn der *Versuch einer nachträglichen Rekonstruktion alles Seienden im Prozeß der begrifflichen Erfassung*[155]. Erhellt wird dieser Prozess der Rekonstruktion für Einstein durch eine Analyse unseres *alltäglichen Denkens*[156], die der Physiker nicht entbehren kann. Denn die *ganze Naturwissenschaft ist nichts weiter als eine Verfeinerung unseres alltäglichen Denkens*[157].

Was ist eigentlich «Denken»? Wenn beim Empfangen von Sinneseindrücken Erinnerungsbilder auftauchen, so ist das noch nicht «Denken». Wenn solche Bilder Serien bilden, deren jedes Glied ein anderes wachruft, so ist dies auch noch kein «Denken». Wenn aber ein gewisses Bild in vielen solchen Reihen wiederkehrt, so wird es eben durch seine Wiederkehr zu einem ordnenden Element für solche Reihen, indem es an sich zusammenhanglose Reihen verknüpft. Ein solches Element wird zum Werkzeug, zum Begriff. Ich denke mir, daß der Übergang vom freien Assoziieren oder «Träumen» zum Denken charakterisiert ist durch die mehr oder minder dominierende Rolle, die der «Begriff» dabei spielt. Es ist an sich nicht nötig, daß ein Begriff mit einem sinnlich wahrnehmbaren und reproduzierenden Zeichen (Wort) verknüpft sei; ist er es aber, so wird dadurch Denken mitteilbar.[158]

Was Sprache leisten kann, findet sich nach Einstein am ehesten in *der internationalen Sprache der Wissenschaft* verwirklicht. Denn Wissenschaft erstrebe in hohem Maße das, was Sprache ganz allgemein versuche: *[...] äußerste Schärfe und Klarheit der Begriffe in ihrer wechselseitigen Beziehung und ihrer Übereinstimmung mit den Sinnesdaten.*[159] Ein Beispiel geben die Geometrie und Algebra. Beide *arbeiten mit einer kleinen Zahl unabhängig eingeführter Begriffe bzw. Symbole*[160]. In der Algebra ist es die Zahl, in der Geometrie der Punkt und die Gerade. Diese Symbole werden durch vereinbarte Zeichen ergänzt, die den vier Grundrechnungsarten zur Regelung der Begriffe untereinander dienen. Alle anderen Sätze und Begriffe können aus diesen Setzungen abgeleitet werden.

Auch die Axiome werden frei geschaffen; was die mathematischen betrifft, so gebe es für sie kein *wahr* oder *falsch*. Die physikalischen Axiome hingegen müssen auf die *physikalische Wirklichkeit* zutreffen. Diese Forderung bringt allerdings große Schwierigkeiten mit sich, denn die physikalischen Axiome sind – wie die mathematischen – eine *freie Setzung des menschlichen Geistes*[161] und aus der Erfahrung nicht ableitbar.

Eine Skizze Einsteins[162] mag die Problematik verdeutlichen:

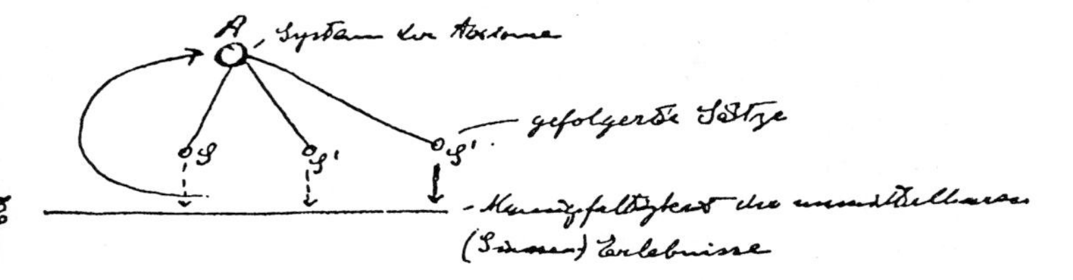

Skizze Einsteins: «System der Axiome/gefolgerte Sätze/Mannigfaltigkeit der unmittelbaren (Sinnes-)Erlebnisse»

Die Zeichnung erklärt, in welchem Bereich die Logik gelten kann und in welchem alogische Beziehungen angenommen werden müssen. Auf logischem Wege können nach Einstein aus den Axiomen (im Schema mit A bezeichnet) wissenschaftliche Sätze (S, S′ …) abgeleitet werden, die Anspruch auf Richtigkeit besitzen. Sie stehen untereinander in einer logischen Beziehung. Damit ist der Bereich des Logischen jedoch erschöpft.

Einstein verwendet für alle anderen Beziehungen den Begriff *intuitiv*[163], der immer dann auftaucht, wenn es um die Verifikation eines Axioms oder eines Satzes geht. Die Axiome beruhten zwar auf den Sinneserlebnissen (E), aber ihre Beziehung sei rein *intuitiv*. Intuition wird demnach zum Mittler zwischen den physikalischen Gesetzen und der Welt der Erfahrung. Sie ist das Kriterien Stiftende, das *leere Phantasterei*[164] von *wissenschaftlicher Wahrheit*[165] unterscheiden hilft.

Einsteins ambivalente philosophische Haltung wird durch diesen Ansatz offenbar: Er selbst ist ebenso Rationalist wie Empirist – eine Kennzeichnung, die Einstein für *durchaus zutreffend*[166] befand. *Ein logisches Begriffssystem ist insofern Physik, als seine Begriffe und Aussagen zur Welt der Erlebnisse in zwangsläufiger Weise in Be-*

ziehung gebracht sind. Wer ein solches System aufzustellen versucht, findet in der Willkür (embarras de richesse) ein gefährliches Hindernis. Deshalb sucht er seine Begriffe so direkt und zwangsläufig wie möglich mit der Erlebniswelt zu verknüpfen. Seine Attitude ist dann empiristisch. Der Weg ist oft fruchtbar, aber immer anfechtbar, weil der Einzelbegriff und die Einzelaussage doch nur in Verbindung mit dem Ganzen etwas mit dem Empirisch-Gegebenen Konfrontierbares aussagen. Er erkennt dann, daß es keinen logischen Weg vom Empirisch-Gegebenen zu jener Begriffswelt gibt. Seine Attitude wird dann eher rationalistisch, weil er die logische Selbständigkeit des Systems erkennt. Die Gefahr bei dieser Einstellung liegt darin, daß man beim Suchen nach dem System jeden Kontakt mit der Erlebniswelt verlieren kann. Ein Schwanken zwischen diesen Extremen erscheint mir unvermeidlich.[167]

Hervorzuheben ist die im Zitat erwähnte Bedeutung der Einzelaussagen in ihrer Verbindung mit dem Systemganzen. Nach Einsteins Auffassung kann über das *Zutreffen* oder *Nicht-Zutreffen* einer Einzelaussage nicht entschieden werden, es sei denn, sie wird in ihrem Verband mit der Systemganzheit gesehen, welche durch logische Prinzipien zustande gekommen ist. *Ein System hat Wahrheitsgehalt, entsprechend der Sicherheit und Vollständigkeit seiner Zuordnungsmöglichkeit zu der Erlebnisgesamtheit.*[168]

Die Beschaffenheit des gesamten Systems und das Augenmerk auf dessen Vollständigkeit wird zu einem entscheidenden Prinzip, weil dies für Einstein den Rang eines Wahrheitskriteriums erhält. Ein *gutes System*[169] ist dadurch gekennzeichnet, dass es eine weitgehende Bewältigung der Erfahrungsmannigfaltigkeit in der Form einer möglichst einfachen, aus wenigen Grundhypothesen bestehenden Theorie anstrebt. *Die endliche Vereinbarkeit dieser Ziele ist beim primitiven Zustand unseres Forschens eine Sache des Glaubens. Ohne solchen Glauben wäre für mich die Überzeugung vom selbständigen Wert der Erkenntnis nicht kräftig und unerschütterlich.*[170]

Einfachheit und *Sparsamkeit* sind die Ideale einer wissenschaftlichen Theorie, die Einstein in seinem 55 Jahre währenden Arbeitsleben zu verwirklichen sucht. Die Genesis einer wissenschaftlichen Theorie, wie er sie niederschrieb, erläutert die Konzeption: In ihrem ersten Stadium sei die Wissenschaft auf die Gesamtheit *primärer Begriffe*[171] und auf das *Theorem ihrer Verknüpfung*[172] beschränkt. Das *vornehmste Ziel*[173] der Wissenschaft sei es aber, nach logischer Vereinfachung zu suchen, das heißt bestrebt zu sein, mit einem Minimum an *primären Begriffen* auszukommen. Von der *Basis*, dem *primären System* ausgehend, wird auf einer zweiten Stufe ein System gebildet, das durch eine Reduktion der Begriffe und Beziehungen gekennzeichnet ist. Aus diesem so entstandenen sekundären System ist das primäre logisch ableitbar. Allerdings ist das sekundäre System dadurch charakterisiert, dass es nur solche Begriffe enthält, die mit den Komplexen unserer Sinneswahrnehmungen nicht mehr zusammenhängen. In dem Streben nach weiterer Vereinfachung bilden wir dann ein *tertiäres System*, das um die Begriffe des sekundären ärmer ist. Damit wird dieses aber noch weiter von den Erfahrungsdaten entfernt sein. Wir erhalten somit eine Treppe, auf deren oberster Stufe ein System steht, das äußerst sparsam an Begriffen ist und sich äußerst abstrakt ausnimmt, aber von Stufe zu Stufe abwärts mit den Erfahrungsdaten – *intuitiv* – in Verbindung gebracht werden kann. Einstein gab die Hoffnung niemals auf, die oberste Stufe, die einer «Weltformel» gleichkäme, zu erreichen.

Einsteins Gedanken [haben] neue Ausblicke auf das Universum geöffnet und der alten astronomischen Wissenschaft einen Aufschwung gegeben, der mit der Tat des Kopernikus vergleichbar ist.

Max Born

In seiner Relativitätstheorie gibt er ein *schönes Beispiel*[174] für die dargelegten Thesen. Sie entstand in dem Bemühen, die Grundlagen der Physik in ihrer logischen Sparsamkeit zu verbessern, wobei die Theorie durch ihre zunehmende Abstraktheit eine Einbuße an Beziehungen zu den Erlebnisdaten erfahren musste. Dieses Unterfangen wäre Einstein wohl nicht ohne die Überzeugung gelungen, wonach die Natur die Realisierung des mathematisch denkbar Einfachsten darstelle.[175]

Man kann Einsteins Werk in dieser Hinsicht mit dem kopernikanischen vergleichen; wie es bereits Max Planck und Max Born getan haben.[176] Als Kopernikus sein System aufstellte, konnte er keine einzelne neue Beobachtung vorweisen, die den Ausschluss aller früheren astronomischen Erklärungen gefordert hätte. Der Wert und die Beweiskraft seines Weltbildes lag, so Planck, allein in der prinzipiellen, systematischen Klarheit begründet, die sich über das Ganze der Naturerkenntnis verbreitet hatte.

Die Spezielle Relativitätstheorie

Nach acht Dienststunden im Patentamt gebe es noch *acht Stunden Allotria und noch einen Sonntag*[177], schreibt Einstein an den Freund Conrad Habicht. Mit *Allotria* meinte er Arbeit am Gebäude der Physik. Seine erste selbständige Publikation erschien 1901 in den «Annalen der Physik»: *Folgerungen aus den Capillaritätserscheinungen.* In den folgenden Jahren veröffentlichte Einstein mehrere Arbeiten, die sich mit der klassisch-statistischen Mechanik befassten. Entscheidend wurde das Jahr 1905. Einsteins Dissertation *Eine neue Bestimmung der Moleküldimensionen* entstand. Die 21 Druckseiten umfassende Arbeit wurde an der Universität Zürich eingereicht. Alfred Kleiner verfasste das Promotionsgutachten: «Die Überlegungen und Rechnungen, die durchzuführen sind, gehören zu den schwierigen der Hydrodynamik, und es konnte sich nur einer an sie heranwagen, der in der Behandlung mathematischer und physikalischer Fragen Verständnis und Übung besitzt.»[178]

Eine zweite Veröffentlichung in diesem fruchtbaren Jahr 1905 erschien am 17. März ebenfalls in den «Annalen», sie enthielt Einsteins Lichtquanten-Hypothese. Seine Lichttheorie baute auf Plancks Entdeckung aus dem Jahre 1900 auf. Dabei wird das Licht als ein Bombardement von Teilchen (Photonen) vorgestellt. Je größer die Wellenlänge eines solchen Teilchens, desto geringer ist die Energie, die aus Metall Elektronen «herauszureißen» vermag – damit wurde die Doppelnatur des Lichtes entdeckt (es ist Welle und Korpuskel).

Bemerkenswert verlief auch Einsteins Auseinandersetzung mit dem Phänomen der «Brown'schen Molekularbewegung». Er wusste nicht, dass bereits um 1827 der Botaniker Robert Brown im Mikroskop unregelmäßige Bewegungen kleinster, in Flüssigkeit suspendierter Staubteilchen auf Stöße der Flüssigkeitsmoleküle zurückgeführt hatte. «Was verursacht diese unaufhörliche Bewegung? So wie ein Boot infolge der Wellenbewegung im Meer zittert, so zittern die im Wasser befindlichen Teilchen unter dem Einfluß der noch kleineren Wasserteilchen, die unter dem Mikroskop unsichtbar sind. Einstein formulierte die Theorie dieses Effekts, den er vorhergesehen hatte.»[179]

All diese Leistungen wurden übertroffen vom Inhalt der dreißig Druckseiten, die den Titel *Elektrodynamik bewegter Körper* tragen. Sie stellen die erste Veröffentlichung Einsteins über die Spezielle Relativitätstheorie dar. *Zwischen der Konzeption der Idee der Speziellen Relativitätstheorie und der Beendigung der betreffenden Publikation sind fünf oder sechs Wochen vergangen.*[180] Dem Freund Ehrat erzählte Einstein, dass ihm die Idee morgens beim Aufwachen in den Sinn gekommen sei. Mit dieser Theorie schuf Einstein eine neue Raum-Zeit-Lehre, die «an die Abstraktionsfähigkeit und an die Einbildungskraft des Physikers die allerhöchsten Anforderungen stellt»[181], wie Max Planck schrieb. Die *Argumente* und *Bausteine* lagen jahrelang bereit, *allerdings ohne die endgültige Entscheidung vorher zu bringen.*[182]

Welche *Argumente* und *Bausteine* meinte Einstein? Worin bestand die *endgültige Entscheidung*? Die Spezielle Relativitätstheorie beruhte auf zwei Prinzipien:

1. **Konstanz der Lichtgeschwindigkeit**: Schon Galilei vermutete, das Licht müsse sich mit einer sehr großen Geschwindigkeit ausbreiten. Die ihm folgenden Physikergenerationen nahmen sich systematisch der Erforschung des Lichts an. Mit astronomischen und terrestrischen Verfahren konnte man, erstens, experimentell sicherstellen, dass sich das Licht im Vakuum geradlinig und mit einer Geschwindigkeit von etwa 300 000 Kilometer pro Sekunde fortpflanzt. Zweitens ließ sich durch astronomische Beobachtungen der Nachweis erbringen, dass die Lichtgeschwindigkeit im Vakuum unabhängig vom Bewegungszustand des emittierenden Körpers ist.

2. **Das galileische Relativitätsprinzip**: Seit dem griechischen Altertum sei es wohl bekannt, so Einstein, *daß es zur Beschreibung der Bewegung eines Körpers eines zweiten Körpers bedarf, auf welchen die Bewegung des ersten bezogen wird. Die Bewegung eines Wagens wird auf den Erdboden bezogen, die eines Planeten auf die Totalität der sichtbaren Fixsterne.*[183] In der Physik werden Körper, auf die man die Vorgänge räumlich bezieht, «Koordinatensystem» genannt.

Isaac Newton. Anonymes zeitgenössisches Gemälde

Die alten mechanischen Gesetze von Galilei und Newton gelten nur für solche Koordinatensysteme, die durch einen gegenüber dem Fixsternhimmel beschleunigungsfreien Bewegungszustand gekennzeichnet sind. Ist diese Voraussetzung erfüllt, spricht man in der Physik von einem «Inertialsystem». Alle Inertialsysteme, die sich relativ zueinander gleichförmig und geradlinig bewegen, sind für die Beschreibung eines Naturvorgangs als gleichwertig anzusehen. Für die Übertragung von Positionen und Geschwindigkeiten von einem Inertialsystem in ein anderes wurden die klassischen galileischen Transformationsgleichungen geschaffen.

Der Äther

Die Elektrodynamik vor Einstein räumte dem Äther eine Sonderstellung ein. Man stellte sich ihn als ein starres, im Raum ruhendes Medium vor, das die Aufgabe hatte, den Lichtvorgängen als Träger zu dienen, ähnlich wie die Luft dem Schall.

Hier setzte die Problemstellung der Speziellen Relativitätstheorie an. Einstein fragte sich, ob ein im Raum ruhendes Medium überhaupt existieren könne. Sein Gedankengang war – vereinfacht – folgender: Stellen wir uns zwei Systeme vor. Erstens den angeblich ruhenden Äther (System I) und zweitens ein sich gleichförmig und geradlinig bewegendes System (System II). Ein Beobachter im Äther wird behaupten, dass sich das System II bewege, er hingegen mit dem seinigen ruhe. Mit demselben Recht wird ein Beobachter, der sich im System II befindet, aussagen, dass sich der angeblich starre Äther bewege, er selbst aber ruhe.

Der Bewegungszustand des «ruhenden Äthers» kann also, so schloss Einstein, nicht nachgewiesen werden. Er empfahl deshalb, den Begriff, dessen Geschichte bis auf Hesiod zurückgeht, aufzugeben. Es bestehe für den Physiker keine Möglichkeit, eine absolut gleichförmige Bewegung zu konstatieren. Deshalb mussten in gleichförmig und geradlinig bewegten Systemen die gleichen Naturgesetze herrschen; das galileische Relativitätsprinzip wird auf alle Naturvorgänge übertragen. Insbesondere muss dann die Lichtgeschwindigkeit **c** in allen Inertialsystemen den konstanten Wert $\mathbf{c} \approx 3 \times 10^8$ m/sec haben.

Einstein verwendete zur Erklärung folgendes Bild: Wir stellen uns einen gleichförmig und geradlinig dahinfahrenden Zug vor (Inertialsystem I). Genau in der Mitte des Zugs sitzt ein Beobachter, der nach beiden Richtungen längs des Zugs Lichtstrahlen aussendet. Durch eine geschickt ausgedachte Spiegelvorrichtung kann dieser Beobachter feststellen, dass die Lichtstrahlen am Anfang und am Ende des Zugs gleichzeitig ankommen. Er wird die Konstanz der Lichtgeschwindigkeit bestätigen können.

Denselben Vorgang untersucht nun ein zweiter Beobachter, der auf dem Bahndamm (Inertialsystem II) steht. Er allerdings bemerkt eine frühere Ankunft des Lichtstrahls am Zugende, das dem Lichtstrahl ja entgegenfährt. Letzterer braucht daher einen Bruchteil der Strecke nicht zurückzulegen. Das in Fahrtrichtung ausgestrahlte Licht kommt erst später an. Denn obgleich der Zug sehr viel langsamer fährt, als das Licht sich fortpflanzt, fährt der Zugkopf dem Strahl davon, bis jener schließlich eingeholt wird. Diese Argumentation macht explizit von dem Satz der Konstanz der Lichtgeschwindigkeit in allen Inertialsystemen Gebrauch. Sie führt offensichtlich auf einen Widerspruch: Die beiden Beobachter beurteilen die Gleichzeitigkeit von Ereignissen (hier das Eintreffen des Lichtsignals am Zugende bzw. am Zugkopf) verschieden.

Raum und Zeit

Die *logische Vereinigung*[184] und damit die Lösung des Widerspruchs findet Einstein durch eine *Abänderung der Kinematik, d. h. der Lehre von den Gesetzen, die Raum und Zeit – vom physikalischen Standpunkt aus – betreffen*[185].

Um diese Abänderung zu verstehen, soll kurz die klassisch-physikalische Raum-Zeit-Lehre vergegenwärtigt werden. *Am Anfang (wenn* es *einen solchen gab) schuf Gott Newtons Bewegungsgesetze samt den notwendigen Massen und Kräften. Dies ist alles.*[186] In dieser Physik sind Raum und Zeit etwas Absolutes: Die «Zeit verfließt an sich und vermöge ihrer Natur gleichförmig, und ohne Beziehung auf irgendeinen äußern Gegenstand»[187], lehrte Newton. Es war für ihn selbstverständlich, dass ein Ereignis an einem Ort A auf der Erde gleichzeitig mit einem Ereignis an einem Ort B auf der Sonne stattfinden kann. Wie die Zeit, so wurde auch der Raum absolut gesetzt. «Der absolute Raum bleibt vermöge seiner Natur und ohne Beziehung auf einen äußern Gegenstand, stets gleich und unbeweglich.»[188]

Gegen diesen Raum- und Zeitbegriff wandte sich entschieden Ernst Mach, dessen «Mechanik» Einstein eingehend studiert hatte. Nach Mach hat ein Satz, dessen Inhalt sinnlich nicht aufgezeigt werden kann, in der Naturwissenschaft keine Bedeutung. Deshalb bezeichnet er die «absolute Bewegung» als einen sinnlosen, inhaltsleeren, wissenschaftlich nicht verwendbaren Begriff.[189]

Ebenso wenig könne jemand etwas «Sinnvolles» über den «absoluten Raum» aussagen. Die «absolute Bewegung» und der «absolute Raum» seien «bloße Gedankendinge». Dasselbe galt für

Ernst Mach, um 1900

Mach auch von der physikalischen Zeit. «Eine Bewegung kann gleichförmig sein in bezug auf eine andere. Die Frage, ob eine Bewegung an sich gleichförmig sei, hat gar keinen Sinn. Ebensowenig können wir von einer ‹absoluten Zeit› (unabhängig von jeder Veränderung) sprechen. Die absolute Zeit kann an gar keiner Bewegung abgemessen werden, sie hat also auch gar keinen praktischen und auch keinen wissenschaftlichen Wert.»[190] Machs Kritik trug wesentlich zur Einstein'schen Entdeckung der Relativität bei. Einstein selbst schreibt: *Es ist nicht unwahrscheinlich, daß Mach auf die Relativitätstheorie gekommen wäre, wenn in der Zeit, als er jugendfrischen Geistes war, die Frage nach der Bedeutung der Konstanz der Lichtgeschwindigkeit schon die Physiker bewegt hätte.*[191]

Ein weiterer Impuls führte zur Entdeckung des Speziellen Relativitätsprinzips. Die Physiker Albert Michelson und Edward Williams Morley gingen noch von der Annahme eines starren, im Raume ruhenden Äthers aus und untersuchten folgendes Problem: Wenn der Äther relativ zur Sonne ruht und sich nicht mit der Erde mitbewegt (die Erde bewegt sich um die Sonne mit einer Geschwindigkeit von etwa 30 Kilometer pro Sekunde), müsste man diese schnelle Bewegung des Äthers relativ zur Erde an einer Veränderung der Lichtgeschwindigkeit auf der Erde merken. Die Lichtgeschwindigkeit sollte dann, so wäre zu erwarten, verschiedene Werte ergeben, je nachdem, ob Lichtstrahlen gegen oder mit dem Ätherwind ausgesendet würden. Alle Experimente dieser Art scheiterten jedoch und zeigten, dass die Lichtgeschwindigkeit mit der Ätherhypothese nicht zusammenhängen kann. Da man aber den Äther nicht aufgeben wollte, wurden mathematische Deutungen des Problems versucht. George Fitzgerald stellte dabei folgende Hypothese auf: «Jeder Körper, der gegen den Äther die Geschwindigkeit **v** hat, zieht sich in der Bewegungsrichtung um [einen] Bruchteil […] zusammen.»[192]

Hendrik Antoon Lorentz griff diese kühne Theorie, die «Kontraktionshypothese», auf und postulierte: «Man muß in einem gleichförmig bewegten System ein eigenes Zeitmaß verwenden.»[193] Jedes System hat demnach eine eigene «Ortszeit». Und zur Umrechnung der Zeit eines Systems in die eines andern schuf er Gleichungen, die nach ihm benannten «Lorentz-Transformationen».

Einsteins Leistung bestand nun darin, die *endgültige Entscheidung* über den Raum- und Zeitbegriff herbeizuführen. Hermann Minkowski umriss seine «kopernikanische Tat» mit den Worten, er habe das «Postulat von Lorentz» nicht als eine «künstliche Hypothese [...] sondern vielmehr [als] eine durch die Erscheinungen sich aufzwingende neuartige Auffassung des Zeitbegriffes»[194] erkannt.

Einstein wollte ein allgemeines Prinzip, wie es in der Thermodynamik in dem Satz vorlag: *[...] die Naturgesetze sind so beschaffen, daß es unmöglich ist, ein perpetuum mobile (erster und zweiter Art) zu konstruieren.*[195]

Wenn wir in der Folge, ohne Gleichungen zu verwenden, auf die mathematisch-physikalische Theorie Einsteins eingehen, kann es sich nur um Andeutungen der wichtigsten Gedankengänge des Speziellen Relativitätsprinzips handeln. Zunächst sei wiederholt, dass die beiden Prinzipien – die Konstanz der Lichtgeschwindigkeit und das galileische Relativitätsprinzip –, den Ausgangspunkt darstellen. Die Korrektur muss dort einsetzen, wo es um den Begriff der Gleichzeitigkeit geht. Wir erinnern uns an den Beobachter im Zug, der die Gleichzeitigkeit des Lichtvorgangs in seinem «System» – im Gegensatz zu dem Kollegen auf dem Bahndamm – bestätigen konnte. Wie schon hervorgehoben, wurde in der klassischen Physik die Gleichzeitigkeit für alle Inertialsysteme kritiklos hingenommen. Nun wird dieser Begriff zum «Parakleten des Denkens». Wir wollen ihn überdenken, indem wir folgendes Gedankenexperiment durchführen: Die Gleichzeitigkeit soll dann nachgewiesen sein, wenn es gelingt, eine Uhr U an einem Ort A mit einer zweiten Uhr U′ in B zu synchronisieren. Zur Durchführung der Untersuchung sind zwei Methoden zu diskutieren. Erstens: die Uhr U wird zur Uhr U′ in B gebracht, um sie gleichzurichten; oder zweitens, der Zeitvergleich wird mit Signalen durchgeführt.[196]

Zur ersten Methode: Es ist zwar möglich, U und U′ am Ort B zu synchronisieren, doch ist es nicht sicher, ob die Regelung noch gilt, wenn sich U wieder am Ort A befindet. Jedenfalls entzieht sich diese Annahme der Überprüfung und hat deshalb, mit Ernst Mach gesprochen, keinen Platz in der Naturwissenschaft. Zur Klärung der zweiten Methode bedienen wir uns folgender Anord-

Keine Zeiteinheit ist unabhängig von ihrem Bezugssystem. Eine Uhr innerhalb eines bewegten Systems zeigt eine andere Zeit als eine ruhende Uhr. Fotomontage

nung: Auf dem Rhein liegen drei Schiffe, die einen Schleppzug bilden und mit A, B und C bezeichnet werden sollen. Da es neblig ist, während die Uhren auf den drei Schiffen miteinander verglichen werden sollen, werden Schallsignale benutzt. Zu einer bestimmten Zeit wird A ein Signal geben, worauf die Schiffer B und C ihre Uhr auf eine vorher vereinbarte Zeit stellen. Da die Uhren sehr genau synchronisiert werden sollen, ist auch die Zeit zu berücksichtigen, die das Signal zur Zurücklegung des Weges braucht. Dazu müssen die Entfernungen zwischen der Schallquelle A und den Orten B und C sowie die Schallgeschwindigkeit bekannt sein. Auf diesem Wege kann die relative Gleichzeitigkeit unter den drei Uhren in ein und demselben System nachgewiesen werden.[197]

Schwieriger wird es, wenn man nun annimmt, der Schleppzug mit den drei Schiffen A, B und C würde sich geradlinig und gleichförmig bewegen. Geht von dem ersten Schiff A das Schallsignal aus, so muss dieses auf den beiden folgenden B und C früher als in Ruhe wahrgenommen werden, da sie dem Signal entgegenschwimmen. Die Schiffer werden also ihre Eigengeschwindigkeit in Anrechnung bringen müssen. Die Korrektur könnte dadurch möglich werden, dass sie ihre Geschwindigkeit gegen den sie umgebenden Raum genau bestimmen. Hierzu brauchen sie aber einen Bezugskörper. Welchen können sie wählen, wenn es keinen absoluten ruhenden Äther geben soll?

Es bleibt nun noch zu prüfen, ob ein schneller als der Schall sich bewegendes Signal, etwa ein Lichtstrahl, aus der Verlegenheit helfen könnte – a priori sicherlich nicht. Obwohl die Ungenauigkeit durch die größere Geschwindigkeit des Lichts geringer wird, bleibt das Problem, die Eigengeschwindigkeit der Schiffe zu bestimmen, ungelöst.

Einstein sah nur einen Weg, aus dem Dilemma herauszukommen: Wir müssen, um ein Bezugssystem für die Schiffe zu finden, den Zeitbegriff auf das *Gesetz der Lichtfortpflanzung*[198] gründen. Denn unter allen physikalischen Vorgängen, die für eine Zeitdefinition in Frage kommen könnten, ist das Licht am besten erforscht. Es breitet sich im Vakuum, wie wir wissen, unabhängig vom Bewegungszustand der Lichtquelle und dem des Beobachters konstant aus. Dies ist ein sicheres Ergebnis physikalischer Forschung.

Wird dem Gesetz der Lichtausbreitung eine derart zentrale Rolle zugewiesen, so tritt umso schärfer die Unvereinbarkeit dieses Gesetzes mit den galileischen Transformationsgleichungen zutage. Der Widerspruch wird aufgeklärt durch Einsteins Folgerungen, wie sie bereits aus dem Beispiel Zug / Bahndamm abgeleitet werden konnten; eine absolute Gleichzeitigkeit für alle Inertialsysteme gibt es nicht. Jedes System besitzt eine «Eigenzeit», die von der eines relativ zu ihm bewegten Systems verschieden ist.

Welche Konsequenzen lassen sich ziehen, wenn der Begriff der «absoluten Gleichzeitigkeit» aufgegeben wird?

Man stelle sich zwei Stäbe vor (Inertialsystem I und II). Der erste Stab soll mit einer Uhr ausgestattet sein, der zweite mit beliebig vielen Uhren. Die Abbildung rechts zeigt[199], dass die Uhren beider Systeme im Zustand der relativen Ruhe synchronisiert sind (a). In Bezug auf Inertialsystem II soll sich nun der erste Stab (Inertialsystem 1) bewegen. Wie aus (b) zu sehen ist, geht die Uhr des

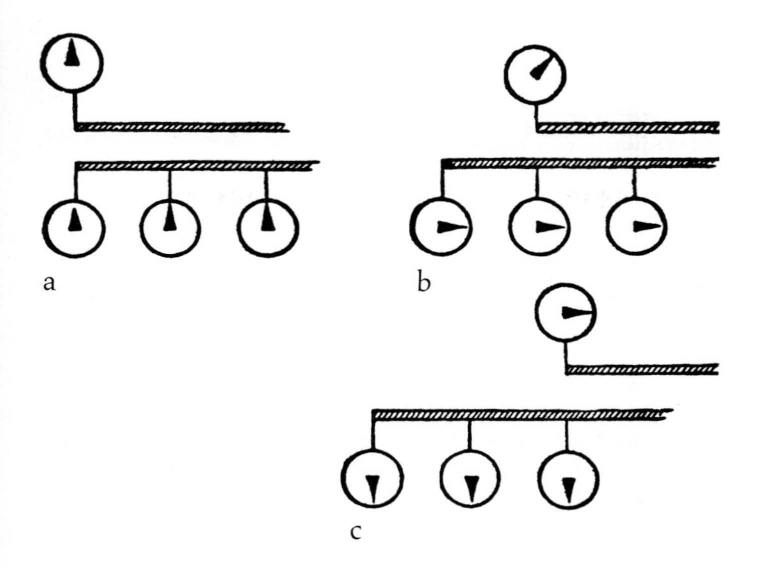

bewegten Stabs langsamer. Im dritten Teil der Abbildung (c) wird der Vorgang noch deutlicher. Der Gang einer Uhr auf einem bewegten System wird im Hinblick auf das System II umso langsamer, je schneller sich das System I bewegt. Erreicht es die Lichtgeschwindigkeit, so bleibt die Uhr des Systems I stehen.

Der Relativität der Zeit folgt auch die Relativierung des Raums. Die Länge eines ruhenden Stabs kann leicht dadurch festgestellt werden, dass seine beiden Enden mit den Marken eines Koordinatensystems verglichen werden. Wie lässt sich die Länge des Stabs feststellen, wenn er sich bezüglich eines Koordinatensystems bewegt?

Auf jedem der beiden Enden des sich bewegenden Stabs sitzen – einmal angenommen – zwei Fotografen. Die beiden wollen durch Aufnahmen die Länge ihres Stabs herausfinden. Sie hoffen, die Länge des Stabs lässt sich aus der Differenz der Marken auf dem Koordinatensystem, mit dem die beiden Stabenden zusammenfallen, ermitteln. Das Unternehmen wird jedoch scheitern, denn die Aufnahmen müssten gleichzeitig gemacht werden, und eben die Gleichzeitigkeit wurde von Einstein als ein relativer Begriff entlarvt.

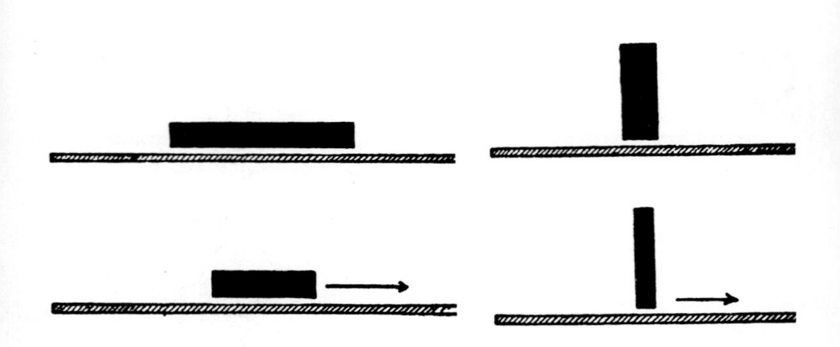

In Bezug auf das Koordinatensystem (oben)[200] verkürzt sich in der Bewegungsrichtung die Länge des Stabs. Analog zur Zeit erscheint er umso kürzer, je schneller er sich bewegt. Wenn er etwa neunzig Prozent der Lichtgeschwindigkeit erreicht hat, ist er ungefähr um die Hälfte seiner ehemaligen Länge zusammengeschrumpft.

Ein und derselbe Stab kann, wie gezeigt wurde, von einem Bezugssystem aus verschiedene Längen haben, je nachdem, ob er sich im Hinblick auf dieses System geradlinig und gleichförmig bewegt oder ruht. Kann man die Frage stellen, welche Länge nun die «wirkliche» ist? Und wenn er sich verkürzt, was ist die «Ursache», die eine derartige Veränderung hervorzubringen vermag?

Max Born versuchte, diese Problematik an einem Beispiel zu verdeutlichen: «Wenn ich mir von einer Wurst eine Scheibe abschneide, so wird diese größer oder kleiner, je nachdem ich mehr oder weniger schief schneide. Es ist sinnlos, die verschiedenen Größen der Wurstscheiben als ‹scheinbar› zu bezeichnen und etwa die kleinste, die bei senkrechtem Schnitt entsteht, als die ‹wirkliche› Größe.»[201]

So wie beim Schneiden der Wurst je nach Lage des Messers verschieden große Scheiben entstehen, so ist ein Stab je nach dem Bewegungszustand des Beobachters kürzer oder länger. Die Kontraktion hängt also einzig von der Betrachtungsweise ab, genauer: vom Bewegungszustand des Systems, von dem aus gemessen wird. Die Frage nach der Kausalität, nach der Ursache der Kontraktion, ist also ebenso fehl am Platze wie die Frage nach der «wirklichen» Länge.

Einsteins Theorie ist keine bloße Konstruktion, kein «malum necessarium», sondern ein durch zahlreiche Experimente gestütztes physikalisches Gesetz.

Folgerungen für die Dynamik

Eine der wichtigsten Folgerungen der Speziellen Relativitätstheorie ist die *Äquivalenz von Masse und Energie*. Nach der klassischen Mechanik gibt es zwei «Substanzbegriffe», die träge Materie (Masse) und die trägheitslose Energie. Jeder Körper besitzt demnach eine Ruhemasse und widersetzt sich dadurch jeder Geschwindigkeitsänderung. Je größer die Masse eines Körpers ist, desto stärker auch sein Widerstand, den er einer Geschwindigkeitsänderung entgegenbringt, und umgekehrt. Die Ausgangsgeschwindigkeit bleibt in dieser Physik für eine Geschwindigkeitsänderung ohne Belang. Ob nun ein und derselbe Körper, so lehrt die klassische Mechanik, mit einer Ausgangsgeschwindigkeit von 100 Meter pro Sekunde oder von 290 000 Kilometer pro Sekunde bewegt werden soll: Immer ist die gleiche Kraft aufzubringen.

Die Spezielle Relativitätstheorie korrigiert diese Lehre: Nicht nur die Ruhemasse, sondern auch die *Ausgangsgeschwindigkeit* spielt eine Rolle, wenn eine Geschwindigkeitsänderung stattfindet. Je größer die Ausgangsgeschwindigkeit ist, desto größer ist nach Einsteins Theorie auch der Kraftaufwand, der für eine Änderung aufgebracht werden muss. In der Nähe der Lichtgeschwindigkeit wird der Widerstand des zu bewegenden Körpers (also seine träge Masse) nahezu unendlich groß. Hat er die Lichtgeschwindigkeit erreicht, so ist seine Geschwindigkeit überhaupt nicht mehr zu vermehren. Die universelle Konstante **c** ist die oberste Grenze schlechthin.

Da auch die Energie bei einer Geschwindigkeitszunahme wächst, liegt die Proportionalität von Masse und Energie nahe. Einstein drückt den Zusammenhang von Masse und Energie in der Formel $\mathbf{E = mc^2}$ aus (**E** ist dabei die Energie, **m** die ihr entsprechende Masse und **c** die Lichtgeschwindigkeit). In einem geschlossenen System kann sich die Masse auf Kosten der Energie erhöhen und umgekehrt. So kann zum Beispiel eine sehr kleine Masse in eine sehr große Energie umgewandelt werden, wie Jahrzehnte später die Atomforschung aufzeigen wird.

Das Raum-Zeit-Kontinuum nach Minkowski

Der Raum ist ein dreidimensionales Kontinuum. Dies will sagen, daß es möglich ist, die Lage eines (ruhenden) Punktes durch drei Zahlen (Koordinaten), x, y, z, zu beschreiben, und daß es zu jedem Punkte beliebig «benachbarte» Punkte gibt, deren Lage durch solche Koordinatenwerte (Koordinaten) x_1, y_1, z_1 *beschrieben werden kann, die den Koordinaten x, y, z des erstgenannten beliebig nahe kommen. Wegen der letzteren Eigenschaft sprechen wir von «Kontinuum», wegen der Dreizahl der Koordinaten von «dreidimensional».*[202] In diesem Raumkontinuum spielte – wie überhaupt in der vorrelativistischen Physik – die Zeit eine selbständige Rolle, die ihr von der Relativitätstheorie schließlich abgesprochen wurde. Nach Einsteins Theorie kommt zu der Dreidimensionalität des Raums noch eine vierte Dimension hinzu: die Zeit (t). Jedes *Einzelereignis* wird jetzt durch die vier Ko-

Hermann Minkowski

ordinaten x, y, z, t beschrieben. Wie im räumlichen Kontinuum, gibt es auch in der *Raum-Zeit-Union* beliebig viele benachbarte Ereignisse, eine «Mannigfaltigkeit», die der Schöpfer des mathematischen Formalismus des «Raum-Zeit-Kontinuums», Hermann Minkowski, die «Welt» nannte. Sie sei erfüllt von unendlichen «Weltpunkten»; nirgends soll eine «gähnende Leere» gelassen sein, hieß es in Minkowskis Vortrag über «Raum und Zeit» (1908).

Die Bedeutung des Raum-Zeit-Kontinuums bestand für Einstein nicht nur darin, dass Raum und Zeit für sich genommen «völlig zu Schatten herabsinken und nur noch eine Art Union der beiden Selbständigkeit bewahren»[203] sollte (Minkowski), sondern auch in der durch Minkowskis «Welt» gewonnenen Übersichtlichkeit. Die wichtige Entdeckung liege in der Erkenntnis, *daß das vierdimensionale zeiträumliche Kontinuum der Relativitätstheorie in seinen maßgebenden formalen Eigenschaften die weitgehendste Verwandtschaft zeigt zu dem dreidimensionalen Kontinuum des Euklidischen geometrischen Raumes*[204].

Der oft gehörte Satz: «Alles ist relativ» ist ebenso irreführend wie gedankenlos. So liegt auch der sog. Relativitätstheorie etwas Absolutes zugrunde, nämlich die Maßbestimmung des Raum-Zeit-Kontinuums.

Max Planck

Erste Erfolge

Der Ingenieur Michele Angelo Besso, den Einstein noch von Zürich her kannte und der jetzt mit ihm zusammen als Prüfungsbeamter im Patentamt tätig war, war der Erste, dem Einstein seine Entdeckung mitteilte. Besso war vielseitig gebildet und ein kritischer Zuhörer. *Einen besseren Resonanzboden hätte ich in ganz Europa nicht finden können*[205], so Einstein über seine Gespräche mit Besso, die oft auf dem gemeinsamen Heimweg vom Patentamt geführt wurden.

Einem zweiten Kollegen, dem ehemaligen Hauptassistenten an der ETH Zürich, Joseph Sauter, der seit 1898 ebenfalls Technischer Experte am Patentamt war, gab Einstein seine Schrift zu lesen. «Ich plagte ihn einen ganzen Monat lang mit allen erdenklichen Einwänden», erzählte Sauter später, «ohne daß er nur im geringsten ungeduldig wurde, bis ich mich schließlich überzeugte, daß meine Einwendungen nur auf den in der damaligen Physik üblichen Vorurteilen beruhten.»[206]

Auch in Briefen wurde die Entdeckung erwähnt: *Die vierte Arbeit liegt im Konzept vor und ist eine Elektrodynamik bewegter Körper unter Benützung einer Modifikation der Lehre von Raum und Zeit*[207], schreibt Einstein etwa an Conrad Habicht. Und in einem anderen Brief: *Eine Konsequenz der elektrodynamischen Arbeit ist mir noch in den Sinn gekommen. Das Relativitätsprinzip in Zusammenhang mit den Maxwellschen Grundgleichungen verlangt nämlich, daß die Masse direkt ein Maß für die im Körper enthaltene Energie ist; das Licht überträgt Masse. Eine merkliche Abnahme der Masse müßte beim Radium erfolgen. Die Überlegung ist lustig und bestechend; aber ob der Herrgott nicht darüber lacht und mich an der Nase herumgeführt hat, das kann ich nicht wissen.*[208] Nach und nach stellten sich auch Besucher ein, um den merkwürdigen Beamten kennen zu lernen. 1907 meldete sich Jakob Johann Laub an. Laub hatte in Würzburg bei Professor Wilhelm Wien einen Vortrag über die Spezielle Relativitätstheorie gehalten. Die anschließende Diskussion hatte einige Unklarheiten zutage treten lassen, sodass Wien seinem Doktoranden empfahl, Einstein in Bern aufzusuchen. Laub traf Einstein gerade an, als dieser vor dem Ofen kniend Feuer machen wollte. Zwischen den beiden jungen Physikern entspann sich rasch ein fruchtbares Gespräch. Laub war geschulter Mathematiker, und er war es auch, der Einstein auf die Kontraktionshypothese von Fitzgerald und Lorentz aufmerksam machte.

Der spätere Nobelpreisträger für Physik Max von Laue wollte ebenfalls Einstein persönlich kennen lernen: «Gemäß brieflicher Verabredung suchte ich ihn im Amt für geistiges Eigentum auf. Im allgemeinen Empfangsraum sagte mir ein Beamter, ich solle wieder auf den Korridor gehen, Einstein würde mir dort entgegenkommen. Ich tat das auch, aber der junge Mann, der mir entgegenkam, machte einen so unerwarteten Eindruck, daß ich nicht glaubte, er könne der Vater der Relativitätstheorie sein. So ließ ich ihn an mir vorübergehen, und erst als er aus dem Empfangszimmer zurückkam, machten wir Bekanntschaft miteinander [...] ich erinnere mich», fährt Laue fort, «daß der Stumpen, den er mir anbot, mir so wenig schmeckte, daß ich ihn ‹versehentlich› von der Aarebrücke in die Aare hinunterfallen ließ [...]. Immerhin habe ich bei jenem Besuch einiges für das Verständnis der Relativitätstheorie davongetragen.»[209]

Abgesehen von solchen Erfolgen war entscheidend, dass sich die großen Physiker jener Zeit der Speziellen Relativitätstheorie annahmen – an erster Stelle Max Planck: *Der Entschiedenheit und Wärme, mit der er für die Relativitätstheorie eintrat, ist wohl zum großen Teil die Beachtung zuzuschreiben, die sie bei den Fachgenossen so schnell gefunden hat. Planck hat als erster die Gleichungen der Bewegung des materiellen Punktes nach der Relativitätstheorie aufgestellt. Er zeigte ferner, daß dem Prinzip der kleinsten Wirkungen in dieser Theorie eine ebenso fundamentale Bedeutung zukommt wie in der klassischen Mechanik. Auch entwickelte er in einer Untersuchung über die Dynamik der Systeme den wichtigen Zusammenhang, der nach der Relativitätstheorie die Energie und die träge* Masse *verknüpft.*[210] So entfaltete sich auch bald eine rege wissenschaftliche Korrespondenz zwischen Planck und Einstein.

In Göttingen befasste sich der Kreis um Hermann Minkowski mit der neuen Theorie. Nicht geringer war das Aufsehen, das die Spezielle Relativitätstheorie in Breslau erregte. Im dortigen Physikalischen Institut unter der Leitung von Otto Lummer und Ernst Pringsheim wirkten bedeutende Physiker, wie der Pole Stanislaus Loria, Rudolf Ladenburg oder Max Born. Einsteins Relativitätstheorie wurde in Sonderdrucken verbreitet und damit «ein relativistisches Feuer»[211] entfacht.

Am 12. September 1908 erregte der schon erwähnte Vortrag von Hermann Minkowski über «Raum und Zeit» in Köln Aufsehen. Etwa um dieselbe Zeit besuchte Ladenburg Einstein in Bern, um ihn zu überreden, an der Naturforscher-Tagung in Salzburg im Herbst 1909 teilzunehmen. Einstein sagte zu und hielt einen Vortrag über *Die Entwicklung unserer Anschauungen über das Wesen und die Konstitution der Strahlung.* Jüngere Physiker, wie Wolfgang Pauli, bezeichneten den Vortrag als einen Markstein in der Geschichte der theoretischen Physik. Die wichtigsten Vertreter der Physik waren anwesend, um Einstein persönlich kennen zu lernen: Max Born, Wilhelm Wien, Heinrich Rubens, Arnold Sommerfeld.

Das Quantenrätsel

Warum eigentlich schwatzen die Leute immer von meiner Relativitätstheorie? Ich habe noch andere brauchbare Sachen gemacht, vielleicht sogar noch bessere.[212] Die Fachleute wussten das. Der Nobelpreis für Physik wurde Einstein 1922 nicht für seine Relativitätstheorie verliehen, sondern für seine führende Rolle beim Aufbau der Quantentheorie. Im Geburtsjahr einer neuen Physikepoche – 1905 – hatte Einstein einige Abhandlungen publiziert, wir haben sie bereits erwähnt, die in seiner Wissenschaft einen Paradigmenwechsel (Thomas S. Kuhn) einleiten sollten.

Das Atom

Einstein richtete 1905 seinen Blick – 2000 Jahre nach Demokrit, Epikur und Lukrez – wieder auf den kleinsten Kosmos, das Atom. Kleine in Flüssigkeiten gelöste Teilchen führen eine geheimnisvolle Bewegung (die Brown'sche Molekularbewegung) aus. Sie wird verursacht von den die Flüssigkeit aufbauenden Molekülen (oder Atomen), welche die kleinen Teilchen von allen Seiten unregelmäßig bzw. statistisch anstoßen. Einstein war in der Lage, einen mathematischen Zusammenhang zwischen der Bewegung der kleinen Teilchen und der Größe der Moleküle nachzuweisen. Die statistische Bewegung der Moleküle oder Atome wurde bereits vorher von Ludwig Boltzmann und anderen als Wärme erkannt. *Mein Hauptziel jedoch war es, Tatsachen zu finden, welche die Existenz von Atomen von bestimmter endlicher Größe möglichst sicherstellten. [...] Die Übereinstimmung dieser Betrachtung mit der Erfahrung zusammen mit der Planckschen Bestimmung der wahren Molekülgröße aus dem Strahlungsgesetz [...] überzeugte die damals zahlreichen Skeptiker (Ostwald, Mach) von der Realität der Atome.*[213] Einsteins Theorie wurde 1908 von Jean Perrin experimentell bestätigt.

Plancks Naturkonstante

In einer heute berühmten, damals (1900) unbeachteten Arbeit von Max Planck geht es um die elektromagnetische Strahlung «schwarzer Körper». Wird Eisen erhitzt, so verfärbt es sich augenscheinlich mit steigender Temperatur: Es wird glühend rot, danach orange, dann gelb und schließlich weiß. Bereits im 19. Jahrhundert stellte man sich die Frage, welcher Zusammenhang zwischen dem Betrag der Strahlungsmenge, die ein solcher erhitzter Körper abgibt, und der Wellenlänge und Temperatur bestehe. Planck antwortete mit einem Strahlungsgesetz, das einen erregenden Vorgang vor Augen führte: Die Menge der Energie, die während der Emission einer Strahlung abgegeben wird, wächst n i c h t kontinuierlich, sondern stoßweise, unstetig. Die diskreten Teilchen, aus denen die Strahlung besteht, werden Quanten genannt. Ein Quant besitzt einen Energiebetrag, der in seinem Strahlungsgesetz ausgedrückt ist: $\boldsymbol{\varepsilon = h \cdot \nu}$ (**ν** bedeutet die Frequenz, die Anzahl der Schwingungen einer Welle pro Sekunde). Doch was bedeutet **h**? Es ist das Symbol für das Planck'sche Wirkungsquantum: Bei jeder Strahlung ist h das Verhältnis von abgegebener

Max Planck, um 1913

Energie und Frequenz – eine Naturkonstante, die im 20. Jahrhundert zu einem stabilen Wissensbestand der Physik geworden ist. «Plancks Konstante **h** öffnete das Tor in eine neue physikalische Welt, in den Mikrokosmos des Atoms. Planck hatte, ohne zu wissen, was er tat, einen Schritt in die neue Welt getan. Dann blieb er wie angewurzelt stehen. [...] Der einzige, der weiter nach vorn drängte, war Albert Einstein. Deswegen hat er sich – unseres Erachtens mehr als Planck [so urteilt der Physikhistoriker Armin Hermann] – den Namen als Entdecker des neuen Kontinents verdient.»[214]

Anmerkungen zu Einsteins Beitrag

Die Erforschung des Lichts ist eines der faszinierendsten Abenteuer abendländischen Denkens und Experimentierens. Vier Aspekte sollen hier hervorgehoben werden.

Die Photonen Einstein bezog das Quantenphänomen auf alle Formen der Strahlung: auf Licht, Wärme und Röntgenstrahlen. Trifft ein Lichtstrahl auf eine Metallplatte, so werden kleinste Teilchen, Elektronen, herausgeschleudert. Diese Erscheinung ließ sich mit der traditionellen Wellentheorie des Lichts nicht verstehen. Einstein schlug deshalb die Hypothese vor, Licht so zu begreifen, als würde es aus Teilchen bestehen. Diese nannte er Photonen. Sie wirken nicht kontinuierlich auf die Metalloberfläche ein, sondern unstetig als Lichtquanten. Ihre Größenverhältnisse werden durch das Planck'sche Wirkungsquantum beschrieben.

Der photoelektrische Effekt Der Experimentalphysiker Philipp Lenard führte 1903 sorgfältig angelegte Untersuchungen zum photoelektrischen Effekt durch. Er fand, um eines seiner Ergebnisse anzuführen, dass sich die Energie der abgestoßenen Elektronen vergrößert durch die Frequenz der Strahlung. Die Bewegungsenergie der herausgerissenen Elektronen ist einzig abhängig von der Farbe der Lichtquelle (also von ihrer Frequenz), nicht von deren Intensität; bei ultravioletten Lichtquanten ist sie am stärksten, bei roten am schwächsten. Dieser lichtelektrische Effekt wurde in den 1920er Jahren durch die Experimente des amerikanischen Physikers Robert Andrews Millikan empirisch bestätigt.

Dualität Stephen W. Hawking formuliert: «Es gibt [...] in der Quantenmechanik eine Dualität von Wellen und Teilchen: Für manche Zwecke ist es nützlich, sich Teilchen als Wellen vorzustellen, für andere Zwecke ist es günstiger, Wellen als Teilchen anzusehen.»[215] Mit Einsteins Hypothese von der Doppelnatur des Lichts ist eine Synthese aus Ansichten Isaac Newtons, der eine Korpuskulartheorie favorisierte, und der von Christian Huygens, der für eine später oft bestätigte Wellentheorie eintrat, gefunden worden. Das Planck'sche Wirkungsquantum und die Dualität des Lichts wurden in der Folge als der Natur innewohnende Prinzipien begriffen.

Einsteins Skepsis

Einsteins Arbeit zum Phänomen der Lichtquanten wurde in den ersten Jahren kaum beachtet. Selbst Max Planck verhielt sich zurückhaltend. Erst in den Köpfen großer Quantentheoretiker – Max Born, Niels Bohr, Erwin Schrödinger, Louis Victor Prince de Broglie, Werner Heisenberg, Paul Adrien Maurice Dirac – wurde Einsteins Frühwerk gewürdigt und weiterentwickelt. 1913 belebte die Quantenphysik ein kräftiger, neuer Impuls durch Bohrs Atommodell, das Einstein hoch einschätzte. Ihm selbst ging drei Jahre später *ein prächtiges Licht*[216] über die Absorption und Emission der Strahlung auf. Er trug der Physikalischen Gesellschaft zu Berlin *eine verblüffend einfache Ableitung der Planckschen Strahlungsformel*[217] vor. Seine Lichtquantenhypothese wirkte sich in der Folgezeit auch erfolgreich auf die Lasertechnik aus, deren Spezialisten Einstein als ihren Stammvater einschätzen (Charles H. Townes würdigte dieses Verdienst 1964 in seiner Nobelpreisrede). Der photoelektrische Effekt wurde darüber hinaus zu einer der Grundlagen moderner Technologien, die mit Photozellen zusammenhängen. «Gewiß wäre Einstein auch dann einer der größten Physiker der Wissenschaftsgeschichte, wenn er nicht der Schöpfer des relativistischen Weltbildes geworden wäre. Seine Arbeiten zum Problem der Wärmebewegung, zur Quantentheorie des Lichtes und der spezifischen Wärme der festen Körper waren für die weitere Entwicklung der Naturwissenschaft von grundlegender Bedeutung.»[218] Diese Würdigung, von Friedrich Herneck verfasst, bezeichnete einen gewichtigen Teil Einstein'scher intellektueller Lebensleistung. Ein zweites damit verknüpftes Faktum der Wissenschaftsgeschichte ist in der kritischen Haltung zu sehen, die er über zwei Jahrzehnte lang gegenüber der von ihm selbst mitbegründeten Theorie einnahm. Sie gibt Einblicke in seine eigenwillige Denkstruktur (Heisenberg).

Eine für die Entwicklung der Quantenphysik bedeutende Station wurde durch eine Disputation Einsteins mit Niels Bohr anlässlich des fünften Solvay-Kongresses 1927 erreicht. Bohr konnte mit seinen Argumenten alle Gelehrten der Brüsseler Tagung überzeugen – nur Einstein nicht. Er verfasste neun Jahre später zusammen mit Nathan Rosen und Boris Podolsky einen kritischen Text zur damaligen Quantentheorie.[219] Bohr entgegnete: Es bestehe die Notwendigkeit, endgültig auf das klassische Kausalmodell zu verzichten. Die von ihm und seinen Kollegen entwickelte Kopenhagener Deutung der Quantentheorie sei die einzig sinnvolle und mögliche.

Wo lagen die Ursachen von Einsteins Zweifel? Er bezog sich auf Heisenbergs Unschärferelation: Um eine zukünftige Position und Geschwindigkeit eines Teilchens zu bestimmen, muss man seine gegenwärtige Position und Geschwindigkeit genau kennen. Doch: «Je genauer man die Position des Teilchens zu messen versucht, desto ungenauer läßt sich seine Geschwindigkeit messen, und umgekehrt. Heisenberg wies nach, daß die Ungewißheit hinsichtlich der Position des Teilchens mal der Ungewißheit hinsichtlich seiner Geschwindigkeit mal seiner Masse nie einen bestimmten Wert unterschreiten kann: die Plancksche Konstante. Dieser Grenzwert hängt nicht davon ab, wie man die Position oder Geschwindigkeit des Teilchens zu messen versucht, auch nicht von der Art des Teilchens: Die Heisenbergsche Unschärferelation ist eine fundamentale, unausweichliche Eigenschaft. [Sie] hat weitreichende Folgen für unsere Sicht der Welt. […] Sie führt […] zwangsläufig ein Element der Unvorhersagbarkeit oder Zufälligkeit in die Wissenschaft ein.»[220] An Paul Ehrenfest schreibt Einstein: *Heisenberg hat ein großes Quantenei gelegt. In Göttingen glauben sie daran (ich nicht).*[221]

Berühmte Einstein'sche Sprüche stammen aus der Diskussion um die Quantentheorie: *Gott würfelt nicht* oder *die Natur macht keine Sprünge*[222]. Dies sind Grundsätze seiner geistigen Existenz, die sich nicht nur in Teilen seines physikalischen Denkens bewährten; sie hatten den Rang einer tief religiösen, naturphilosophischen Überzeugung. Er konnte das Kausalmodell nicht, wie ihm Niels Bohr empfahl, zugunsten einer indeterministischen Auffassung aufgeben, trotz empirischer Daten – Einstein zählte sich, vielleicht als Letzter, zur Schülerschaft Isaac Newtons. In seinem Aufsatz *Newtons Mechanik und der Einfluß auf die Gestaltung der theoretischen Physik* lesen wir, die Physik nach Newton *könnte als eine organische Fortbildung Newtonscher Gedanken aufgefaßt werden. Aber während die Durchbildung der Feldtheorie noch im vollen Gang war, offenbarten die Tatsachen der Wärmestrahlung, der Spektren, der Radioaktivität usw. eine Grenze der Brauchbarkeit des gesamten Gedankensystems, die uns heute noch trotz gigantischer Erfolge im einzelnen schier unübersteigbar erscheint. Nicht ohne gewichtige Argumente behaupten viele Physiker, daß diesen Tatsachen gegenüber nicht nur das Differentialgesetz, sondern auch das Kausalitätsgesetz – bisher das letzte Grundpostulat aller Naturwissenschaft – versagte. [...] Wer sollte so vermessen sein, heute die Frage zu entscheiden, ob Kausalgesetz und Differentialgesetz, diese letzten Prämissen Newtonscher Naturbetrachtung, definitiv verlassen werden müssen?*[223]

Einstein bestritt nicht die Richtigkeit der Quantentheorie. Er wandte sich allerdings gegen deren Anspruch, das Fundament der gesamten Physik zu repräsentieren. *Sie sehen es auf Grund der Erfolge dieser Theorie als erwiesen an, daß eine im Sinne der Theorie vollständige Beschreibung eines Systems im Prinzip nur statistische Aussagen bezüglich der an diesem System meßbaren Größen involvieren könne.*[224] Fast alle zeitgenössischen theoretischen Physiker würden die Meinung vertreten, *die Heisenbergsche Unbestimmtheitsrelation [präjudiziere] den Charakter aller denkbaren vernünftigen physikalischen Theorien*[225]. Ihr mathematischer Formalismus galt für Einstein als bewiesen, doch werde die Quantentheorie in

Niemals hätte [Gott] ein Universum geschaffen, in dem er von Moment zu Moment wie durch Zufall über das Verhalten eines jeden einzelnen Teilchens hätte entscheiden müssen. Einstein konnte das natürlich nicht beweisen, seine Überzeugung beruhte auf Glauben, persönlichem Empfinden und Intuition und mag manchem naiv erscheinen. Aber sie war tief in ihm verwurzelt, und seine physikalische Intuition, die zwar auch nicht unfehlbar war, hatte ihm jedenfalls gute Dienste geleistet.

Banesh Hoffmann

Solvay-Kongress der Physiker in Brüssel 1927

R. H. FOWLER

E. SCHROEDINGER W. PAULI W. HEISENBERG L. BRILLOUIN

E. VERSCHAFFELT

: A. H. COMPTON L. V. DE BROGLIE M. BORN N. BOHR

A. EINSTEIN P. LANGEVIN CH. E. GUYE C. T. R. WILSON

O. W. RICHARDSON

ESLANDRES ET E. VAN AUBEL

jeder künftigen brauchbaren Theorie nur in Form von logischen Folgerungen enthalten sein.[226] Damit werde nach seiner Meinung die Quantentheorie im Rahmen der zukünftigen Physik eine ähnliche Stellung einnehmen wie die statistische Mechanik im Rahmen der klassischen Physik.[227] Die *Wahrscheinlichkeitsmystik und die Abkehr vom Realitätsbegriff*[228] in der Physik erschienen Einstein unerträglich. Die Außenwelt war für ihn durch strenge Gesetzlichkeit determiniert, und zwar als die Voraussetzung der Naturerforschung überhaupt, und deshalb konnte die Quantentheorie als eine unvollständige Beschreibung der Natur keinen Anspruch darauf erheben, die Grundlagen zu verkörpern.[229]

Wenn die Zahl der in Frage kommenden Faktoren bei einem komplexen Phänomen der Natur zu groß wird, dann werde man von der wissenschaftlichen Methode meist im Stich gelassen. Man brauche dabei nur an das Wetter zu denken, erinnerte Einstein, von dem eine sichere Vorhersage auch für wenige Tage nicht immer möglich sei. Trotzdem liege auch bei den Erscheinungen des Wetters ein Kausalzusammenhang zugrunde. Es fehle nicht an Ordnung, an Gesetzlichkeit, wenn wir ein verwirrendes Bild erhielten, sondern es liege daran, dass viele, uns unbekannte Faktoren mitwirkten. Bei der Quantentheorie handelte es sich für Einstein lediglich um ein Problem, das mit dem damaligen Wissensstand zusammenhing. Er nannte das Beispiel der Biologie, die noch nicht im gleichen Maße erforscht sei wie die Physik. Und dennoch lägen auch bei ihr bereits Zeugnisse von einer *festen Notwendigkeit*[230] vor. Was der Biologie noch fehle, sei das *Erfassen tiefgehender allgemeiner Zusammenhänge, nicht aber die Kenntnis der Ordnung selbst*[231].

Der Universitätsprofessor

Schweiz

In der physikalischen Welt inzwischen bekannt, habilitierte sich Einstein im Wintersemester 1908/09 an der Universität Bern. Er bot eine Vorlesung über die Theorie der Strahlung an. Doch der Prophet gilt nichts in seinem Land; nur drei Studenten und Michele Besso, der Arbeitskollege aus dem Patentamt, saßen im Hörsaal, nach einigen Wochen war es sogar nur noch ein Hörer. Mittlerweile wurde jedoch Zürich auf Einstein aufmerksam. Die Universität sandte Professor Alfred Kleiner nach Bern, der sich die Vorlesung seines ehemaligen Doktoranden anhörte und befand: Eine «bravouröse Vorlesung» war das nicht.[232]

Im Februar 1909 wurde Einstein dennoch nach Zürich eingeladen, um vor der «Physikalischen Gesellschaft» einen Vortrag zu halten. Seinen dortigen Gastgebern, der Familie Ehrat, konnte er anschließend mitteilen: *Es ist nun wirklich Aussicht vorhanden, daß*

Universität Bern. Bildpostkarte

wir noch oft in Zürich gemütlich zusammenhocken können, denn der gestrenge Kleiner, bei dem ich am Freitag war, hat sich sehr gnädig über den Erfolg des «Examens» ausgedrückt und angedeutet, daß vermutlich bald Weiteres erfolgen werde. Wenn ich also nicht gezwungen bin, des verfluchten Geldes wegen hier zu bleiben, gibt's wohl etwas und zwar, wie es scheint, für nächsten Herbst [...].[233]

Einstein konnte nun seine Kündigung am Patentamt in Bern einreichen, dem er mehr als sieben Jahre lang angehört hatte. Als er Direktor Haller mitteilte, er werde sich fortan wissenschaftlichen Aufgaben widmen und eine Professur in Zürich antreten, soll ihn dieser angeschrien haben: «Das ist nicht wahr, Herr Einstein – das glaube ich Ihnen nicht. Das ist ein fauler Witz!»[234]

Am 7. Mai 1909 entschied sich der Züricher Regierungsrat bei der Besetzung des außerordentlichen Lehrstuhls für theoretische Physik für Albert Einstein. Kleiner hatte ursprünglich seinen Assistenten Dr. Friedrich Adler vorgeschlagen, der lehnte jedoch mit der Begründung ab, Einstein sei der bessere Kandidat. Das Gutachten, das Kleiner dann zur Berufung anfertigte, sprach ein hohes Lob über den jungen Forscher aus: «Einstein gehört gegenwärtig zu den bedeutendsten theoretischen Physikern und ist seit seiner Arbeit über das Relativitätsprinzip wohl ziemlich allgemein als solcher anerkannt; es kommen jetzt auch seine früheren Arbeiten über Gastheorie, innere Reibung (Brownsche Bewegung, Colloide) zur Geltung und Anerkennung. Was seine Arbeiten auszeichnet, ist ungewöhnliche Schärfe in der Fassung und Verfolgung von Ideen und eine auf das Elementare dringende Tiefe. Bemerkenswert ist auch die Klarheit und Präzision seines Stils; er hat sich in vielen Beziehungen eine eigene Sprache geschaffen, was bei einem dreißigjährigen Mann ein deutliches Zeichen von Selbständigkeit und Reife ist. Aus seinen Schriften geht das unverbrüchliche Streben nach Wahrheit hervor [...].»[235]

Einstein begann seine Lehrtätigkeit an der Universität Zürich im Herbst 1909. Sein Gehalt betrug jährlich 4500 Franken, zu denen noch die Kolleggelder kommen sollten. In finanzieller Hinsicht war die Übersiedlung nach Zürich kein Gewinn; was Einstein bewogen hatte, war die Aussicht auf eine wissenschaftliche Tätigkeit. Mit ihrem inzwischen fünfjährigen Sohn Hans Albert wohnten die Einsteins in der Moussonstraße 12. *Der neue Beruf gefällt mir sehr*[236], schreibt Einstein an Laub, den jungen Kollegen aus Würzburg. *Der Direktor unseres Institutes, Professor Kleiner, ist ein sehr lieber Mensch. Er behandelt mich wie einen Freund und verübelt mir nichts.*[237]

Der Zufall wollte es, dass Einsteins Wohnung über derjenigen von Friedrich Adler lag, dem er seinen Lehrstuhl zu verdanken hatte. Die beiden Physiker trafen sich in einer Kammer unter dem Dach, wenn sie ihre wissenschaftlichen Probleme in Ruhe diskutieren wollten – bei den Einsteins wurde es enger, sie hatten am 28. Juli 1910 ein *Junges gekriegt*[238].

Friedrich Adler war eine außergewöhnliche Persönlichkeit, ein begabter Physiker, Sohn des Gründers der Sozialdemokratischen Partei Österreichs, Victor Adler, und selbst politisch eminent interessiert. Als ihm der Posten des Chefredakteurs der sozialdemokratischen Zeitung «Volksrecht» in Zürich angetragen wurde, riet Einstein ab: *Haben Sie doch noch etwas Geduld! Sie werden bestimmt einmal in Zürich mein Nachfolger werden!*[239] Doch Adler wandte sich der Politik zu, wurde zunächst Redakteur und nahm 1912 die Wahl zum Sekretär der österreichischen Sozialdemokratischen Partei an. Vier Jahre später erschoss er den Ministerpräsidenten Österreichs, Graf Stürgkh. Bei den Gerichtsverhandlungen schaltete sich Einstein ein; er wandte sich an das Landgericht Wien mit der Bitte, über den vorbildlichen Charakter Adlers vor Gericht aussagen zu dürfen – ohne Erfolg. Es wurde ihm jedoch gestattet, eine ausgedehnte Korrespondenz mit dem Inhaftierten zu führen. 1917 wurde Adler zunächst zum Tode verurteilt, dann zu Kerkerhaft begnadigt. Dabei spielte die Relativitätstheorie eine recht eigenartige Rolle: Es lag durchaus im Interesse des Kaisers, das Leben des Gefangenen zu schonen. Dies jedoch nicht um Friedrich Adlers selbst willen, sondern weil dessen Vater – der Führer der Sozialdemokratischen Partei – auch bei politisch Andersdenkenden großes gesellschaftliches Ansehen genoss. Dem Gericht lag daran nachzuweisen, dass Friedrich Adler im Zustand der Verwirrtheit gehandelt hatte. Dazu wurde ein von dem jungen Physiker im Kerker verfasstes Schriftstück an Psychiater und Physiker verschickt, mit der Bitte um Stellungnahme. Es handelte sich um eine Abhandlung, in der Adler eine Reihe von Argumenten gegen die Relativitätstheorie vorbrachte. Obwohl die Gedankenführung durchaus der eines normal Denkenden entsprach, wie der Physiker Philipp Frank schreibt, gereichte es Adler gewissermaßen zum Glück, dass seine Argumente falsch waren: ein Indiz für die geistige Verwirrtheit des Häftlings. Der politische Umsturz 1918/19 brachte ihm schließlich die Freiheit.

Glücklicher verlief Einsteins gesellschaftlicher Verkehr mit Heinrich Zangger, einem vielseitig gebildeten Professor für Strafrecht, mit Alfred Stern, dem Historiker, und mit seinem alten Lehrer vom Polytechnikum, Adolf Hurwitz. Die Freunde trafen sich regelmäßig. Es wurden neu erschienene physikalische Arbeiten besprochen, und anschließend wurde musiziert.

Als Dozent machte Einstein in Zürich Fortschritte: In Bern habe er damals *wirklich nicht himmlisch gelesen, teils, weil ich nicht sehr gut vorbereitet war, teils, weil mir der Zustand des Ergründet-Werden-Sollens etwas auf die Nerven ging.*[240]

Und Alfred Kleiner hatte sich ebenfalls vorsichtig ausgedrückt: «Als Dozent ist Einstein vielleicht noch nicht endgültig zu beurteilen. Seine Schärfe im Denken und der ehrliche Wille der Pflichterfüllung gegenüber den Zuhörern bewirken jedenfalls, daß Klarheit und Ordnung, was den Inhalt anbetrifft, im Vortrage herrschen, und das wird seine Zuhörer bei der Sache halten. Inwieweit die Vorträge auch eindringlich sein können, der Dozent in seine Zuhörer hineinspricht und nicht beim Aussprechen der Gedanken, die ihn beschäftigen, bleibt, wird die weitere Entwicklung lehren. Ich habe die Überzeugung, daß Dr. Einstein auch als Dozent seinen Mann stellen wird, weil er zu gescheit und zu gewissenhaft ist, um allfälliger Belehrung nicht zugänglich zu sein.»[241]

Und so kam es. Einstein bewies seine Lernfähigkeit. *An meinem Beruf erlebe ich viel Freude und Erfolg*[242], anders als in Bern verwendete er viel Zeit auf die Vorbereitung. Gewöhnlich schrieben sich für Einsteins Veranstaltungen weiterhin nur wenige Hörer ein, dadurch konnte er umso ungezwungener dozieren. *Ich bin ganz intim mit meinen Studenten und hoffe, manchem anregend sein zu können.*[243] Wie sehr er dies tatsächlich gewesen ist, berichtet in recht anschaulicher Weise einer seiner Hörer. «Als er in seiner etwas abgetragenen Kleidung mit den zu kurzen Hosen und der eisernen Uhrkette das Katheder betrat, waren wir eher skeptisch. Aber schon nach den ersten Sätzen hatte er sich durch die ungewohnte Art, in der er die ‹Vorlesung› hielt, unsere spröden Herzen erobert.»[244] Man konnte ihn jederzeit unterbrechen und Fragen stellen. So legten die Studenten denn auch bald jede Scheu ab. Einstein selbst vergewisserte sich immer wieder, ob sein Vortrag verstanden wurde. In den Pausen gab er dann zusätzliche Erklärungen ab, und es konnte vorkommen, dass er seinen Arm unter den des fragenden Studenten schob, geduldig versuchend zu klären, was unklar geblieben war. Die Freundlichkeit des Herzens, die er jedermann entgegenbrachte, und die klare, aufrichtige Sprache, die auch ein Scherzwort zuließ, gewannen die Sympathien seiner Studenten.

«Das ganze Manuskript, das er bei sich trug, bestand aus einem Zettel von der Größe einer Visitenkarte, auf dem skizziert stand, was er mit uns durchnehmen wollte. Er mußte also alles aus sich selbst heraus entwickeln, so daß wir einen direkten Einblick in seine Arbeitstechnik erhielten. So […] konnten wir mitansehen, auf wie oft eigenartigen Wegen ein wissenschaftliches Resultat ursprünglich zustande kommt. Jede Vorlesung verließen wir mit dem Eindruck, daß wir sie gleich selber hätten halten können.»[245]

Ein typisches Erlebnis berichtete Hans Tanner: «Plaudernd saßen wir bis zur Polizeistunde in einem Café am Bellevueplatz. Bei Torschluß schlug Einstein vor: *Kommt noch jemand mit mir heim? Heute morgen habe ich eine Arbeit von Planck erhalten, in der ein Fehler stecken muß. Wir können sie noch zusammen lesen […].* In seiner Wohnung gab er uns Plancks Abhandlung zum Studium in die Hand: *Sucht inzwischen den Fehler, während ich euch einen Kaffee braue!* Wir büffelten also mit Ehrgeiz und Intensität darauf los. Nach einer Viertelstunde rückte unser Gastgeber mit dem dampfenden Mokka an: *Nun, habt ihr den Fehler entdeckt?* Wir: ‹Da müssen Sie sich aber irren, Herr Professor! Da steckt kein Fehler drin.› – *Doch.*»[246] Und dann erklärte er ihnen, worin der Fehler steckte. «Nach fünf Minuten griffen wir uns an den Kopf: Wie konnten wir nur so dumm gewesen sein, daß wir die Fehlerquelle nicht herausgespürt hatten!»[247] Als die Studenten Max Planck nach Berlin schreiben wollten, dass er einen Fehler gemacht habe, bremste Einstein wiederum: *Das Resultat stimmt nämlich, nur der Beweis ist falsch. Wir schreiben ihm einfach, wie der richtige Beweis lauten könnte. Die Hauptsache ist doch der Inhalt.*[248] Tanners Fazit: «Ich glaube, das war und ist das Große an Einstein als Wissenschaftler: frei von aller Überlieferung an jedes Problem herantreten zu können, nicht aus Freude an der Kritik, sondern aus dem persönlich Bedürfnis heraus, alles zu verstehen und sich alles klar zu legen.»[249]

Bei der Betreuung des wissenschaftlichen Nachwuchses verhielt sich Einstein vorbildlich. Anstatt, wie es seinerzeit noch die Regel war, seinem Doktoranden eine Arbeit aus dem Gebiet zuzuteilen, in dem er selbst tätig war, legte er dem jungen Ratsuchenden erst einmal eine Auswahl verschiedener Themen vor: *Ich glaube, Sie könnten mal das probieren. Da kommt sicher etwas Interessantes dabei heraus!*[250] Als der junge Physiker dann später doch Schwierigkeiten hatte, riet Einstein: *Kommen Sie doch einmal bei mir vorbei! Wären Sie nur schon lange gekommen! Manchmal hängt es nur an einer Kleinigkeit, die ich Ihnen vielleicht sofort hätte sagen können.*[251]

Ein differenzierteres Urteil über Einstein lieferte sein späterer Nachfolger auf dem Lehrstuhl in Prag, Philipp Frank. Einsteins Qualitäten als Lehrer und sein Verhältnis zu seinen Schülern seien «in sehr merkwürdiger Weise zwiespältig» gewesen.[252] «Für viele Hochschullehrer bedeutet die Widerspiegelung ihrer eigenen Persönlichkeit in so und so vielen jungen Leuten, die alles wiederholen, was der Lehrer sagt, eine Art Multiplikation ihrer Persönlichkeit. Diese menschliche Schwäche hat für die Tätigkeit als Lehrer aber auch ihre guten Seiten. Sie führt oft zu einer Hingabe des Lehrers an seine Aufgabe, die selbstlos und sogar aufopferungsvoll sein kann [...]. Einstein besaß diese Eitelkeit nicht, seine Persönlichkeit brauchte diese Multiplikation nicht – und er war daher auch nicht bereit, so viele Opfer für sie zu bringen.»[253] Die Folge war, dass die Qualität von Einsteins Vortrag in höchstem Maße schwankte. Wenn ihn ein Thema interessierte, konnte er so sprechen, «daß die Hörer in einen Zauber versetzt wurden: der Charme seines Vortrages war die ungewöhnliche Natürlichkeit [...]. Er bemühte sich, jede Sache auf ihre einfachste logische Form zu bringen.»[254] Doch er empfand es als ziemlich lästig, regelmäßige Vorlesungen halten zu müssen. Und der Hörer spürte es, wenn Einstein für ein gewisses Problem weniger Interesse aufbrachte. Einstein war «viel zu künstlerisch veranlagt, um diese Schwierigkeit dadurch zu beheben, daß er sich in der Vorlesung einfach an ein gutes Buch gehalten hätte. Aber es war ihm auch unmöglich, so viel geistige Kraft für seine Vorlesung aufzubringen, um sie von Anfang bis zu Ende mit seinem eigenen Geist zu erfüllen. Darum verliefen seine Vorlesungen immer ungleichmäßig.»[255]

Zur Abrundung des Bildes vom wissenschaftlichen Lehrer sei noch eine Anekdote angefügt, die in rührender Weise seine Erscheinung beschreibt. Leopold Infeld erzählte, er habe sich angesichts einer Diskussion in Princeton – Einsteins letzter Wirkungsstätte – nur mit Mühe das Lachen über den berühmtesten Wissenschaftler der Zeit verbeißen können: «Einstein und der italienische Mathematiker Tullio Levi-Cività redeten in einer Sprache, die beide für Englisch hielten, zeigten auf Formeln an der Wandtafel, und Levi-Cività drang im Laufe des hitziger werdenden Gesprächs mit weitausholenden Gesten auf Einstein ein. Dieser, gelassen weitersprechend, zog alle paar Sekunden seine sackartige Hose hoch.»[256]

Prag

An der Universität Prag war durch den Weggang von Hofrat Lippich der Lehrstuhl für theoretische Physik verwaist. Man fasste auf Initiative von Georg Pick und Anton Lampa Einstein ins Auge. Lampa, ein Schüler und glühender Verehrer von Mach, wollte die geistige Tradition seines Lehrers fortgeführt wissen. Und er kannte nur zwei Menschen, die dieses Erbes würdig erschienen: Der erste war Professor Gustav Jaumann aus Brünn, der zweite war Einstein. Was die wissenschaftlichen Verdienste anging, so wurde Einstein von der Prager Berufungskommission und vom österreichisch-ungarischen Unterrichtsministerium bevorzugt. Er erhielt 1911 den Ruf und nahm ihn an. Es war das erste Ordinariat des zweiunddreißigjährigen Physikers. Max Planck hatte ihn in seinem Gutachten mit größtem Lob empfohlen. Einstein habe mit seiner Relativitätstheorie eine Umwälzung erreicht, die nur mit der Einführung des kopernikanischen Weltbildes vergleichbar sei.

Von seiner Wohnung aus, die in dem nicht gerade vornehmen Viertel Smichov nahe der Moldau lag, konnte er zu Fuß sein Institut erreichen. *Die Stadt Prag ist [...] wundervoll*[257], lasen Schweizer Freunde in seiner brieflichen Nachricht.

Die Situation an der Universität Prag ist Einstein wahrscheinlich im Einzelnen nicht klar gewesen, auch nicht, wie schwierig

Prag. Im Hintergrund der Hradschin mit Veitsdom, davor die Karlsbrücke über die Moldau. Lithographie, 1925

sie war. Als älteste Universität in Mitteleuropa besaß sie einen sehr guten wissenschaftlichen Ruf, durch ihre geographische Lage war sie jedoch den politischen Streitigkeiten im Vielvölkerstaat der Donaumonarchie in zunehmendem Maße ausgesetzt. 1888 hatte man deshalb beschlossen, die Universität in einen deutschen und einen tschechischen Teil zu spalten, die sich fortan um die Frage der legitimen Nachfolge der alten Prager Universität stritten. Traditionsgemäß ignorierten die Professoren der beiden Universitäten einander gegenseitig. Einstein konnte dafür nicht das geringste Verständnis aufbringen. Die deutschen, eher nationalistisch eingestellten Professoren glaubten ihn anfangs zu den Ihren rechnen zu können. Mehr und mehr fiel es jedoch als nicht angenehm auf, dass Einstein sich weder am gesellschaftlichen noch am amtlichen Leben mit vollem Herzen beteiligte.

Hier mag insbesondere eine der ersten Forderungen, die vom Prager Ministerium ausgingen, Einsteins Humor auf die Probe gestellt haben. Er musste zur Vereidigung eine mit goldenen Bändern versehene teure Uniform erwerben, einen Dreispitz auf den Kopf setzen und sich in einen sehr warmen schwarzen Mantel hüllen, unter den wiederum, ganz nach Vorschrift, ein Degen zu schnallen war – *wie ein brasilianischer Admiral*[258]. So wurde er Ordinarius und – nach eigenem Bekenntnis sehr ungern – österreichischer Staatsbürger. Die Prager Intelligenz gab ihm in einem feudalen Hotel einen Empfang. Einstein erschien im blauen Arbeiteranzug, sodass die Bediensteten annehmen mussten, es handle sich um den sehnlich erwarteten Elektriker, der die Leitungen reparieren sollte. Ein gründliches Missverständnis auf allen Seiten.

Problematisch erschien der monarchisch gesinnten, hohen Gesellschaft auch die Frage, wie sie Einsteins Frau Mileva einstufen sollte. Von Geburt Serbin, war sie nicht geneigt, sich in den Kreis der Professorenfrauen einzufügen: einmal, weil diese aus ihrer Einschätzung der Minderwertigkeit der slawischen Völker keinen Hehl machten, und zum anderen, weil Mileva selbst wenig anpassungsfähig war. «Wie immer dem sei, es besteht kein Zweifel, daß Einstein bei seinen Kollegen, gelinde gesagt, als Sonderling galt.»[259] Philipp Frank, der schon erwähnte Nachfolger Einsteins in Prag, erzählte, er sei beim Vorstellungsbesuch im Dekanat mit den Worten empfangen worden: «Ach, Sie sind der neue Professor der theoretischen Physik. In Ihrem Fach verlangen wir nur eines von Ihnen: ein halbwegs normaler Mensch zu sein.» Als Frank darauf erstaunt nachhakte: «Ist denn das bei einem theoretischen Physiker so selten?», erwiderte der Dekan: «Sie werden mir doch nicht einreden wollen, daß Ihr Vorgänger ein ‹normaler Mensch› war.»[260]

Dieses frühe Mißtrauen gegen jede Autorität, das ihn nie ganz verließ, war von entscheidender Bedeutung. Denn nur aus dieser Haltung konnte sich die kraftvolle Unabhängigkeit des Geistes entwickeln, die ihm den Mut gab, allgemein anerkannte wissenschaftliche Überzeugungen in Frage zu stellen und damit die Physik zu revolutionieren.
Banesh Hoffmann

Die etwas gedrückte Atmosphäre spiegelte sich auch in Einsteins Briefen an die alten Freunde in Bern und Zürich wider, denen er klagte, dass *auch das Leben hier nicht so angenehm ist wie in der Schweiz, ganz abgesehen davon, daß wir hier fremd sind. Es gibt hier kein Wasser, das man anders als gekocht trinken darf. Die Bevölkerung kann zum größten Teil nicht deutsch und benimmt sich gegen Deutsche feindlich. Auch sind die Studenten weniger intelligent und strebsam als in der Schweiz.*[261] Er betreute nur etwa ein Dutzend Studenten. In den drei Semestern in Prag war er nur zweimal an Doktorexamen beteiligt, die mittelmäßig und eher schlecht ausfielen.

Zweierlei ist aus dieser Zeit hervorzuheben: Einstein brütete nicht nur über dem alten Quantenrätsel, sondern dachte verstärkt über eine Verallgemeinerung der Relativitätstheorie nach. *Ich arbeite sehr eifrig, aber nicht gerade mit viel Erfolg,* teilte er im Oktober 1911 Johann Jakob Laub mit. *Fast alles, was mir einfällt, muß ich wieder verwerfen.*[262] Zweitens nahm er 1911 eine Einladung zu einem Kongress in Brüssel an, der von dem einflussreichen Chemiker Walther Nernst initiiert und von Ernest Solvay, einem belgischen Industriellen, finanziert worden war. Achtzehn renommierte Physiker trafen sich, um Grundlagenprobleme ihrer Wissenschaft vorzutragen und zu diskutieren. Einstein urteilte zwar: *Gefordert wurde ich wenig, indem ich nichts gehört habe, was mir nicht schon bekannt gewesen wäre*[263], aber andere Gelehrte sahen in diesem ersten Solvay-Kongress eine Bereicherung. Niels Bohr und Louis Victor Prince de Broglie, damals noch junge Physiker, erhielten durch die Lektüre des Kongressberichtes richtungsweisende Anregungen zu einer zukünftigen Physik.

Für Einstein waren diese Tage von eher informeller Bedeutung: Er konnte Freundschaften mit herausragenden Physikern knüpfen, etwa mit Marie Curie, Henri Poincaré, Paul Langevin, Ernest Rutherford und Hendrik Antoon Lorentz. Wahrscheinlich wirkten sich seine neuen Kontakte auch positiv auf seine akademische Laufbahn aus. Tatsächlich erwog man in Privatgesprächen die Rückkehr Einsteins nach Zürich, diesmal an die Eidgenössische Technische Hochschule, die einen besseren wissenschaftlichen Ruf genoss als die Universität. Man wusste in Zürich, wie unwohl Einstein sich in Prag fühlte. Außerdem war ein Ruf aus Utrecht in Holland an Einstein ergangen, zudem kam das Gerücht auf, die Wiener Universität bemühe sich um ihn. Um alldem zuvorzukommen, unternahm man in Zürich Anstrengungen, Einstein eine Professur anzubieten.

Noch in einer anderen Hinsicht war Prag für Einstein ein Entwicklungsereignis. Es gab damals in dieser Stadt eine Gruppe jüdischer Bürger, die sich in besonderem Maße der Pflege von Kunst, Literatur und Philosophie widmete. Geprägt durch die Weltanschauung ihres Führers Hugo Bergmann, standen diese Gebildeten dem internationalen Zionismus – einer Art Nationalismus des Judentums – nahe. Trotz ausgedehnter Gespräche ist es Bergmann damals nicht gelungen, Einstein für den Zionismus zu gewinnen – ihn, der später so leidenschaftlich für seine jüdischen Mitmenschen eintreten sollte. In diesem Kreis traf Einstein auch mit Max Brod zusammen. Man hat in Prag oft behauptet, die Gestalt Keplers in Brods «Tycho Brahes Weg zu Gott» sei aus dem Eindruck entstanden, den Einsteins Persönlichkeit auf den Autor machte. Die Worte eines Dichters seien eindrucksvoller als die Beschreibungen eines Wissenschaftlers, sagt Frank und gibt Teile der Schilderung Keplers durch Brod wieder, die eine Parallele der Wesenszüge mit Einstein offenbare: «So stürmisch wie es in Tychos Seele zuging: er war sorgfältig bemüht, seine Gefühle gegenüber Kepler rein zu halten [...]. In der Tat beneidete er ja wirklich Kepler nicht um seine Erfolge. Am ehesten erweckte noch die selbstverständliche, durchaus anständige, gleichsam menschenwürdige Art, in der Kepler zum Ruhm gekommen war, manchmal eine neidähnliche Wallung in ihm. Meist aber flößte ihm Kepler jetzt ein Gefühl des Grausens ein. Die Ruhe, mit der er seinen Arbeiten nachging und die Flöten der Schmeichler gänzlich überhörte, hatte für Tycho etwas Außermenschliches, unbegreiflich Gefühlloses, aus einer fernen Eisregion Herwehendes [...]. So war Kepler. Er hatte kein Herz. Und eben deshalb hatte er vor der Welt nichts zu fürchten. Er hatte kein Gefühl, keine Liebe. Und deshalb war er natürlich auch vor den Verirrungen des Gefühls sicher.»[264]

Wenn Tycho sich Kepler als einen «Intriganten», als ein herz- und gefühlloses Wesen vorstellte, dann rührte diese Konstruktion aus dem Ärger über Keplers stoische Haltung. Denn Tycho sah, dass Kepler nie einen deutlichen Zweck verfolgte und alles außerhalb seiner Wissenschaft in einer gewissen Bewusstlosigkeit tat. Die Beschreibung von Brod lässt – anders als alle anderen, historisch gesicherten Dokumente über Einstein – fühlbar werden, wie sehr seine Persönlichkeit geeignet war, gelegentlich auch Feindseligkeit in seiner Umgebung zu wecken: *Zwar wurden auch Pfeile des Hasses auf mich abgeschossen,* so Einstein, *aber sie trafen mich nie, sie kamen gleichsam aus einer anderen Welt, mit der ich nichts zu schaffen habe.*[265]

Zürich – Berlin

Am Polytechnikum in Zürich aufgenommen zu werden ist nicht leicht. Das wusste Einstein noch von seinem ersten Versuch her, als er 1895 dort sein Studium aufnehmen wollte. Auch jetzt mussten, obschon Einstein unter den Fachkollegen berühmt geworden war, dem Präsidenten des schweizerischen Schulrates Gutachten vorgelegt werden, die einer Berufung zustimmten. Marie Curie und Henri Poincaré legten ein Zeugnis vor, und Max Planck wird zitiert: «Mit der durch das Prinzip im Bereiche der physikalischen Weltanschauung hervorgerufenen Umwälzung ist an Ausdehnung und Tiefe wohl nur noch die durch die Einführung des Copernikanischen Weltsystems bedingte zu vergleichen.»[266] Es war den verantwortlichen Behörden bekannt, dass namentlich in der theoretischen Physik den Studenten zu wenig Zeitgemäßes geboten wurde. Einstein versprach, diese Lücke wie kein Zweiter zu füllen. Man wählte ihn auf zehn Jahre. Seine Lehrverpflichtungen begannen am 1. Oktober 1912 und sollten das ganze Gebiet der theoretischen Physik umfassen. Neben den Repetitorien waren zehn Veranstaltungsstunden in der Woche abzuhalten.

An der Wohnungstür – diesmal Hofstraße 116 – läuteten dieselben alten Freunde. Am Schreibtisch grübelte Einstein über das Problem der Allgemeinen Relativitätstheorie. Doch der Aufenthalt in Zürich währte nicht lange. Bereits am 30. November 1913 kündigte Einstein dem Präsidenten des Schweizer Schulrats seinen Weggang an. Er bat um Entlassung zum Sommersemester 1914. Die Königlich Preußische Akademie der Wissenschaften hatte Einstein nach Berlin berufen. Diese seit 1700 bestehende Akademie war damals eine Hochburg des wissenschaftlichen Lebens in Europa. Es galt als große Ehre, in diese Akademie berufen zu werden, und viele bedeutende Professoren hatten ihr ganzes Leben vergeblich darauf gehofft. Die Mitgliedschaft allein gewährleistete zwar im Allgemeinen nicht den Lebensunterhalt, doch einige wenige Stellungen waren dank großer Stiftungen so gut dotiert, dass sie hauptberuflich ausgeübt werden konnten. Mit einer solchen Auszeichnung wollte man Einstein bedenken. Das Schwergewicht seiner Tätigkeit sollte auf der Organisation der Forschung sowohl in der Akademie selbst als auch in einem eigens zu schaffenden Physikalischen Institut der Kaiser-Wilhelm-

Die Preußische Akademie der Wissenschaften in Berlin, Unter den Linden. Foto nach 1914

Gesellschaft liegen. Einstein sollte auch dem Titel nach Professor der Berliner Universität werden, dort allerdings keinerlei Pflichten haben, nur das Recht, Vorlesungen zu halten, so viel oder so wenig ihm gefiel. 12000 Mark wurden dem Schweizer Physiker geboten. Das Berliner Angebot erschien Einstein umso verlockender, als er die Verpflichtung zu regelmäßigen Vorlesungen ja eigentlich immer als lästig empfunden hatte.

Vor allem mag die Nähe des Freundes Max Planck Einstein bewogen haben, dem Ruf zu folgen. Planck war es auch, der zusammen mit Walther Hermann Nernst, Heinrich Rubens und Emil Warburg im Juni 1913 das Gesuch eingereicht hatte: Die Unterzeichneten seien davon überzeugt, der Eintritt Einsteins in die Berliner Akademie der Wissenschaften werde von der gesamten physikalischen Welt im Sinne eines besonders wertvollen Gewinns für die Akademie beurteilt werden. Den glücklichen Ausgang der Verhandlungen verkündete am 18. Dezember 1913 eine Notiz in den «Sitzungsberichten» der Akademie: «Seine Majestät der Kaiser und König haben durch Allerhöchsten Erlaß vom 12. November die Wahl des ordentlichen Professors der theoretischen Physik an der Eidgenössischen Technischen Hochschule in Zürich Dr. Albert Einstein zum ordentlichen Mitglied der mathematisch-physikalischen Classe zu bestätigen geruht.»[267]

Einstein hatte also die Wahl angenommen. In seinem Dankschreiben hieß es: *Nicht minder bin ich Ihnen dafür dankbar, daß Sie mir eine Stellung in Ihrer Mitte anbieten, in der ich mich frei von Berufspflichten wissenschaftlicher Arbeit widmen kann. Wenn ich daran denke, daß mir jeder Arbeitstag die Schwäche meines Denkens dartut, kann ich die hohe, mir zugedachte Auszeichnung nur mit einer gewissen Bangigkeit hinnehmen. Es hat mich aber der Gedanke zur Annahme der Wahl ermutigt, daß von einem Menschen nichts anderes erwartet werden kann, als daß er seine ganze Kraft einer guten Sache widmet, und dazu fühle ich mich wirklich befähigt.*[268]

Einstein zog im April 1914 nach Berlin. Er war 35 Jahre alt. Wie er Adolf Hurwitz in Zürich mitteilte, konnte er sich wider Erwarten gut einleben – *nur ein gewisser Drill in bezug auf Kleidung etc., dem ich mich auf Befehl einiger Onkels unterziehen muß, um nicht dem Auswurf der hiesigen Menschheit zugezählt zu werden, stört etwas die Gemütsruhe*[269].

Auch an der Berliner Akademie wiederholte sich, was Einsteins Verhältnis zu früheren Instituten gekennzeichnet hatte: «[...] er war nie ein Mann in Reih' und Glied. Sein Einzelgängertum machte sich in allem bemerkbar.»[270] Rudolf Ladenburg, der in der Hauptstadt mit Einstein zusammen gelebt und gearbeitet hatte, berichtete: «In Berlin gab es zwei Arten von Physikern – Einstein und alle anderen Physiker.»[271]

Einstein betrachtete die Akademie eher wie großes Theater: *Es scheint, daß die meisten Mitglieder sich darauf beschränken, eine gewisse, pfauenhafte Grandezza schriftlich zur Schau zu tragen; sonst sind*

Mobilmachung in Berlin, August 1914

sie recht menschlich.[272] Objektiv war Berlin damals jedoch eine Stätte unvergleichlich regen Gedankenaustausches, wie es sie in dieser Zeit zwischen 1913 und 1933 wohl kaum noch irgendwo in der Welt gab. Da waren Max Planck, der Begründer der Quantentheorie, Max von Laue, Walther Hermann Nernst, James Franck und Gustav Hertz, und da war Lise Meitner, die Kollegin von Otto Hahn, die Einstein *unsere Frau Curie*[273] nannte. Dazu kam in der letzten Zeit Erwin Schrödinger, der die Grundlagen zur Wellenmechanik legte. An den Sitzungen nahm Einstein regen Anteil. Die Kolloquien wiederum erhielten durch seine spezifischen Denkanstöße einen besonderen Reiz.

Einstein war kaum ein halbes Jahr in Berlin, als im August 1914 der Erste Weltkrieg ausbrach. Dem Taumel, der die deutsche

Bevölkerung, insbesondere die Preußen, überkam, fiel er nicht zum Opfer. «Denn diese begeisterte Freude beruhte zum großen Teil auf dem Gefühl, daß der einzelne nun aufhören konnte, für sich selbst zu leben.»[274] Gerade dieses Bedürfnis war Einstein jedoch stets fremd. Als dann Einzelheiten der ersten Kriegsmonate bekannt wurden, der Einmarsch in das neutrale Belgien, die Leiden der okkupierten Bevölkerung, standen die Kulturnationen der Welt vor der Frage: «Wie ist es möglich, daß das deutsche Volk, dessen Musik, dessen Wissenschaft wir so lieben und bewundern, solcher Grausamkeiten und widerrechtlicher Handlungen fähig ist?»[275]

Die deutsche Führung, von den Vorwürfen getroffen, verlangte von den Repräsentanten des geistigen Lebens, ihr Einverständnis mit den deutschen Kriegszielen öffentlich zu verkünden. So kam es zu dem berüchtigten «Manifest der dreiundneunzig deutschen Intellektuellen», in dem festgestellt wurde, dass sich deutsche Kultur und deutscher Militarismus dem gleichen Geist verpflichtet fühlten. Einsteins Unterschrift fehlte. Georg Friedrich Nicolai verfasste ein Gegenmanifest, in dem die Wissenschaftler Europas aufgefordert wurden, sich mit ihrer ganzen Autorität für eine rasche Beendigung des Krieges einzusetzen. Der Autor, Friedrich Wilhelm Foerster, Otto Buek und Einstein waren die einzigen Unterzeichner. Dieser Aufruf, der den ersten Schritt Einsteins zur Verwirklichung politischer Ziele darstellt, wurde drei Jahre später, 1917, in Nicolais Buch «Die Biologie des Krieges» publiziert.

So verwirrend die Ereignisse der ersten Kriegsjahre auch für viele deutsche Gelehrte gewesen sein mochten, so wenig tief greifenden Einfluss hatten sie auf Einsteins wissenschaftliche Arbeit. In den Jahren 1913 bis 1916 schuf er die Allgemeine Relativitätstheorie, die 1916 publiziert wurde.

Die Allgemeine Relativitätstheorie

Das Problem «Gravitation»

Die *entscheidende Idee*[276] zur Beantwortung der Frage des Sechzehnjährigen: *Wie erhalten sich die Naturgesetze in einem frei fallenden Fahrstuhl?*[277] datierte aus dem Jahre 1911. In der Arbeit *Einfluß der Schwerkraft auf die Ausbreitung des Lichtes* wurde der ausgeformte Gedanke publiziert («Annalen der Physik», 1911).

Alle Aussagen der Speziellen Relativitätstheorie gelten nur für Koordinatensysteme, die durch ihren gleichförmigen und geradlinigen Bewegungszustand gekennzeichnet sind. *Was hat die Natur,* fragt Einstein, *mit den von uns eingeführten Koordinatensystemen und deren Bewegungszustand zu tun? Wenn es schon für die Naturbeschreibung nötig ist, sich eines von uns willkürlich eingeführten Koordinatensystems zu bedienen, so sollte die Wahl von dessen Bewegungszustand keiner Beschränkung unterworfen sein.*[278] Gab es überhaupt Inertialsysteme für ausgedehntere Einheiten des Raum-Zeit-Kontinuums oder gar für die ganze Welt? Diese Frage führte zum Prinzip der Äquivalenz von schwerer und träger Masse.

In einem ersten Schritt hatte Einstein eine Schwäche des Trägheitsprinzips – die Grundlage aller bisherigen Mechanik – aufzudecken. Nach jenem Prinzip soll sich eine Masse dann beschleunigungsfrei bewegen, wenn sie hinreichend weit von Körpern entfernt ist. Wie aber war zu erkennen, dass dies der Fall war? Nur eine Möglichkeit wurde angeboten: Die Masse muss sich beschleunigungsfrei bewegen. Und diese Argumentation führte zu einem logischen Zirkelschluss.

Schon Newton hatte die numerische Gleichheit von schwerer und träger Masse erkannt, die er in seinen Bewegungsgesetzen ausdrückte: Das Produkt aus träger Masse und Beschleunigung ist gleich dem Produkt aus schwerer Masse und der Intensität des Schwerefeldes. Diesen Satz konnte er zwar aussprechen, jedoch nicht erklären. Konnte jene *numerische Gleichheit* auf eine *Gleichheit des Wesens* zurückgeführt werden?[279]

In Einsteins Gedankengang wird von einem Inertialsystem,

das wir K nennen, ausgegangen. In Bezug auf K mögen hinreichend davon entfernte Massen beschleunigungsfrei sein. Ferner stellen wir uns ein zweites Inertialsystem K′ vor. Relativ zu K′ seien alle Massen parallel zueinander gleich stark beschleunigt, oder mit anderen Worten: Sie sollen sich bezüglich K′ so verhalten, als ob ein Schwerefeld vorhanden und K′ selbst nicht beschleunigt sei. Wenn dieses Schwerefeld als *real* anzusehen ist, kann formuliert werden: K′ ruht, es ist ein Schwerefeld vorhanden. Gleichberechtigt mit dieser Aussage wäre aber auch folgende: K′ ist ein *berechtigtes* Koordinatensystem; es ist kein Schwerefeld vorhanden.

Werden nun diese beiden Annahmen als berechtigt vorausgesetzt, so ist das Äquivalenzprinzip aufgedeckt. Allein von der Betrachtungsweise hängt es ab, ob wir von K aus dieselbe Bewegung einer Masse nur als Trägheit verstehen oder von K′ aus als kombinierte Wirkung von Trägheit und Schwere. Daraus folgt: Trägheit und Schwere sind wesensgleich.

Einstein gibt für das leichtere Verständnis des Äquivalenzprinzips eine anschauliche Erklärung: In einem geschlossenen Kasten beobachtet ein Physiker, dass alle Körper in diesem Kasten konstant beschleunigt zu Boden fallen. Wie kann er diese Erscheinung erklären? Auf zweierlei Weise: 1. der Kasten befindet sich in einem Gravitationsfeld, dessen Wirkung die konstante Beschleunigung der fallenden Körper zugeschrieben werden kann; 2. der Kasten bewegt sich in einer der Fallrichtung der Körper entgegengesetzten Richtung, und zwar mit konstanter Beschleunigung. Dann könnte die Erscheinung als Trägheit der *fallenden* Körper erklärt werden.

Beide Interpretationen sind angemessen und stehen gleichberechtigt nebeneinander. Entweder ist das Bezugssystem (der Kasten) beschleunigt oder das Experiment wird in einem Gravitationsfeld durchgeführt.

Mit dem Satz von der Wesensgleichheit schwerer und träger Masse findet Einstein den Schlüssel *für ein tieferes Verständnis der Trägheit und Gravitation*[280]. Da die Einführung von beschleunigten Koordinatensystemen relativ zu unserem ersten Inertialsystem K das Auftreten von Gravitationsfeldern für K′ mit sich bringt, kann das Prinzip in folgenden Worten zusammengefasst werden: *In ei-*

nem homogenen Gravitationsfeld gehen alle Bewegungen so vor sich wie bei Abwesenheit eines Gravitationsfeldes in bezug auf ein gleichförmig beschleunigtes Koordinatensystem.[281] Gilt dieser Satz für beliebige Vorgänge, so ist die anfangs gestellte Frage damit teilweise beantwortet. Das Spezielle Relativitätsprinzip kann auf ungleichförmig gegeneinander bewegte Koordinatensysteme erweitert werden.

Raum und Zeit in der Allgemeinen Relativitätstheorie

Einstein zweifelte nicht, *daß dieser Gedanke [Äquivalenz von schwerer und träger Masse] im Prinzip richtig war [...]. Aber die Schwierigkeiten seiner Durchführung schienen fast unüberwindlich. Zunächst ergaben elementare Überlegungen, daß der Übergang zu einer weiteren Transformationsgruppe unvereinbar ist mit einer direkten physikalischen Interpretation der Raum-Zeit-Koordinaten, welche den Weg zur Speziellen Relativitätstheorie geebnet hatte.*[282]

Zur Klärung führen wir auch hier ein Gedankenexperiment durch: Wir denken uns ein endliches, galileisches Gebiet G, in dem das klassische Trägheitsprinzip gelten soll. Ferner sei ein Koordinatensystem K bezüglich G gegeben. In Bezug auf K herrsche kein Gravitationsfeld, es gelten also die Gesetze der Speziellen Relativitätstheorie.

Ferner soll G auf ein zweites System K′ bezogen sein, das bezüglich K mit konstanter Winkelgeschwindigkeit rotieren soll. In Bezug auf K′ würde demnach ein Gravitationsfeld herrschen. Zur Veranschaulichung stellen wir uns das System K′ als eine in gleichförmiger Bewegung befindliche Kreisscheibe vor. In K befindet sich ein Beobachter B, der mit einem Einheitsmaßstab S mit der Länge 1 ausgerüstet ist. In K′ hält sich ebenfalls ein Beobachter B′ auf. Die Länge seines Stabes S′ sei 1′. Wir gehen davon aus, dass $1 = 1'$ sei.

Nun sollen sich die Beobachter B und B′ darum bemühen, die Scheibe auszumessen. Zuerst legen sie ihre Maßstäbe S und S′ in Radiusrichtung an und stellen beim Vergleich der Längen fest, dass nach wie vor $1 = 1'$ sei, ein Ergebnis, das mit der Speziellen Relativitätstheorie übereinstimmt, da bei dieser Anordnung keine Kontraktion stattfindet. Legt aber nun B′ seinen Maßstab in der Peripherie tangential zum Scheibenrand an, so stellt B bezüglich K beim Vergleich mit der Länge seines Maßstabes S eine Verkürzung von S′ fest.

In einer bezüglich K ruhenden Scheibe wird das Verhältnis des Umfangs zu ihrem Durchmesser den bekannten Wert π ergeben. Hingegen wird bezüglich K′π größer sein als $\frac{U}{D}$, wenn die Scheibe rotiert. Bei dieser Beobachtung ist darauf hinzuweisen, dass die Verkürzung durch die Fitzgerald'sche Kontraktion im Mittelpunkt der Scheibe entfällt.

Aus diesen wichtigen Gedanken der Allgemeinen Relativitätstheorie folgt: Die Lagerungsgesetze in K′ stimmen nicht mit denen der euklidischen Geometrie überein. Relativ zu K′ können Koordinaten nicht nach der Methode, die in der Speziellen Relativitätstheorie gezeigt wurde, definiert werden. Die gerade Linie verliert damit ihre Bedeutung. Der Begriff «Raum» muss eine rein physikalische Interpretation erhalten, weil das Verhalten der Körper bezüglich ihrer Länge von Gravitationsfeldern abhängt. Oder mit anderen Worten: Die physikalischen Eigenschaften des Raums werden nach der Allgemeinen Relativitätstheorie durch ponderable Materie beeinflusst.

Fassen wir nun den Zeitbegriff ins Auge: Wir stellen uns zwei in K und K′ aufgestellte Uhren U und U′ vor. Beim Zeitvergleich wird der Beobachter B in K eine Differenz feststellen: Die Uhr U′ in K′ wird, auf U bezogen, langsamer laufen. Der Unterschied nimmt zu, je weiter die Uhr U′ von dem Mittelpunkt der Scheibe entfernt ist. Befindet sich K′ im Mittelpunkt der Scheibe selbst, so wird sie die gleiche Zeit anzeigen wie U in K, weil die Geschwindigkeit im Mittelpunkt von U′ gleich der in K ist. Befindet sich aber U′ vom Mittelpunkt der rotierenden Scheibe entfernt, so werden die Beobachter B und B′ vergeblich versuchen, ihre Uhren zu synchronisieren.

Daraus folgt: Ruhen die Uhren U′, U″, U‴... relativ zu einem Bezugssystem, dann ist es nicht möglich, zu einer Definition der Gleichzeitigkeit zu gelangen, wenn dieses Bezugssystem (Scheibe) rotiert oder eine Beschleunigung erfährt. Nach dem Prinzip der Gleichheit schwerer und träger Masse können wir formulieren: Wir kommen zu keiner Definition der Gleichzeitigkeit für U′, U″, U‴, wenn im Bezugssystem K′ ein Gravitationsfeld herrscht. Denn ein Stab wird kürzer oder länger, eine Uhr geht schneller oder langsamer, je nach dem Ort in K′, an dem die Länge oder die Zeit gemessen werden. Wir gelangen also zu dem Ergebnis: In der Allgemeinen Relativitätstheorie können Raum- und Zeitgrößen nicht so definiert werden, dass räumliche Koordinatendifferenzen unmittelbar mit dem Einheitsmaßstab, zeitliche mit einer Normaluhr gemessen werden können.

Folgerungen für die mathematische Beschreibung

Die gewonnenen Einsichten der Allgemeinen Relativitätstheorie bedeuten für die Physik, dass die alte Geometrie Euklids aufgegeben werden muss, weil ihre Grundbegriffe «Gerade», «Ebene» usw. ihren exakten Sinn verloren haben. Denn die Körper lassen sich nicht mehr – wie in Euklids Geometrie – fest im Raum anordnen. Ein Körper befindet sich nach der Allgemeinen Relativitätstheorie in einer unentwegt wirksam werdenden Deformation. Einstein wählte den Ausdruck *Molluske* für die Kennzeichnung dieser Erscheinung, deren Lagerungsgesetze in der Vorstellung von einem gekrümmten Raum veranschaulicht werden. Er suchte nach den mathematischen Gesetzmäßigkeiten, nach welchen Koordinatensysteme für alle Naturvorgänge gelten können.

Bei der Bewältigung dieses rein mathematischen Problems haben viele hervorragende Köpfe mitgewirkt. Aber entscheidend waren die Impulse des bewährten Freundes Marcel Großmann, der inzwischen Professor für Mathematik an der ETH Zürich geworden war. *Großmann, Du mußt mir helfen, sonst werd' ich verrückt!*[283] *Er fing sofort Feuer,* so Einstein, *durchmusterte die Literatur und entdeckte bald, daß das angedeutete mathematische Problem insbesondere durch Riemann, Ricci*

Marcel Großmann

und Levi-Cività bereits gelöst war. Diese ganze Entwicklung schloß sich an die Gaußsche Theorie der Flächenkrümmung an, in der zum ersten Male von verallgemeinerten Koordinaten systematisch Gebrauch gemacht war.[284]

Bald darauf konnte Einstein seinem ehemaligen Assistenten Ludwig Hopf berichten: *Wenn nicht alles trügt, habe ich nun die allgemeinen Gleichungen gefunden.*[285] An Arnold Sommerfeld schrieb er am 28. November 1915: *[...] ich hatte im letzten Monat eine der aufregendsten, anstrengendsten Zeiten meines Lebens, allerdings auch die erfolgreichsten.*[286] Die gefundene mathematische Methode, die Tensormethode, lässt sich im Rahmen dieser Monographie nicht erörtern. Stattdessen soll der Grundgedanke der mathematischen Bewältigung der Allgemeinen Relativitätstheorie vereinfacht herausgestellt werden.

Wir wissen bereits, dass Raum und Zeit nach dieser Theorie nicht als ein *selbständiges Fundament* angesehen werden, das neben der Physik bestehen könnte. Das geometrische Verhalten der Körper und der Gang der Uhren ist von Gravitationsfeldern abhängig. Diese wiederum werden von Materie erzeugt. Insofern lässt sich formulieren: Der Raum besteht als stets deformierbare Materie, als Gebilde einer *Molluske*, über das ein Netzwerk von Gauß'schen Koordinaten zur Markierung der Weltpunkte gelegt wird. Der Abstand einer Uhr zu einem solchen Weltpunkt muss sehr klein sein. Der Gang aller Uhren der Weltpunkte zeigt – nach der Speziellen Relativitätstheorie – keine Gleichzeitigkeit. Raum und Zeit sind im «Raum-Zeit-Kontinuum» (Minkowski) verbunden. Bei der Transformation eines Gauß'schen Systems G′ mit den Koordinaten x′, y′, z′ und t′ in ein anderes Gauß'sches System G (x, y, z, t) ändern sich die Schnittlinien der Weltpunkte nicht.[287]

Die Raumzeit ist nicht flach, sondern durch die in ihr enthaltene Materie und Energie gekrümmt. Das war Einsteins größter Triumph. Diese Entdeckung führte zu einem grundlegenden Wandel in unseren Vorstellungen über Raum und Zeit. Seither sind sie kein passiver Hintergrund mehr, vor dem die Ereignisse stattfinden. Für uns ist es undenkbar geworden, dass Raum und Zeit ewig ablaufen, unberührt von den Geschehnissen im Universum. Jetzt sind sie dynamische Größen, die die in ihnen stattfindenden Ereignisse beeinflussen und von ihnen beeinflusst werden.

Stephen W. Hawking

SONNENFINSTERNIS [288]

Hatte man in den ersten, an Siegen reichen Kriegsjahren der Arbeit und der geistigen Haltung Einsteins mit äußerster Reserve gegenübergestanden und ihm vieles nur deshalb verziehen, weil er noch immer Schweizer Bürger war, so änderte sich dies mit Besiegelung der deutschen Niederlage. Man war jetzt stolz auf Einstein. Die «Nation der Dichter und Denker» rechnete ihn zu den Ihren. Hatte man militärisch nicht siegen können, so wandte man sich nun der unbesiegbaren Wissenschaft zu. Die sachlich orientierten Engländer hatten schon während des Krieges das Außergewöhnliche an Einsteins Lehren erkannt. Ihre empirisch ausgerichteten, auf Prüfung an der Erfahrung drängenden Forscher richteten sich auf eine Untersuchung von Einstein'schen Voraussagen, die sich in der Allgemeinen Relativitätstheorie fanden, anlässlich einer Sonnenfinsternis im Mai 1919 ein. Vielleicht war es kein Zufall, dass ihr geistiger Führer Arthur Stanley Eddington, einer der ganz wenigen Wissenschaftler, die zu jener Zeit überhaupt imstande waren, in die Theorie einzudringen, der Gemeinschaft der Quäker angehörte. Er mag sich der Theorie nicht trotz, sondern eher wegen der Tatsache angenommen haben, dass Einstein zum besiegten Deutschland gehörte. Er sah eine besondere Aufgabe darin, der Würdigung von Lehren, die aus dem Land der «Feinde» stammten, zum Durchbruch zu verhelfen, um der Völkerverständigung zu dienen.[289]

Eine Expedition ging nach Sobral in Nordbrasilien und eine andere auf die Insel Principe im Golf von Guinea. Während der Verfinsterung der Sonne durch den Mond zeigten fotografische Aufnahmen eindeutig, dass die von benachbarten Fixsternen ausgesandten Lichtstrahlen tatsächlich abgelenkt wurden, wenn sie das Schwerefeld der Sonne passierten. Diese Lichtablenkung war von der Allgemeinen Relativitätstheorie vorausgesagt worden. Einstein hatte eine Ablenkung von 1,75 Bogensekunden errechnet. Als 1952 die Expedition mit verfeinerten Messgeräten im Sudan wiederholt wurde, fanden die Forscher eine Ablenkung von 1,70 Bogensekunden und damit ein Ergebnis, das sehr nahe an das theoretisch errechnete von Einstein herankam.

Durch diese Ergebnisse wurde Einsteins Ruhm in der ganzen Welt verbreitet. Für die Physiker war es ein Markstein in der Geschichte der Wissenschaft, für viele ein Triumph des reinen Denkens, für die meisten jedoch bloße Sensation. Die Freunde in Zürich teilten Einsteins Freude und schrieben:

> Alle Zweifel sind entschwunden,
> Endlich ist es nun gefunden:
> Das Licht, das läuft natürlich krumm
> Zu Einsteins allergrößtem Ruhm![290]

Und Einstein antwortete:

> *Frau Sonne uns Licht und Leben schenkt,*
> *Doch liebt sie nicht den, der da grübelt und denkt.*
> *Drum müht sie sich ab gar manches Jahr,*
> *Wie sie wohl schlau ihr Geheimnis bewahr'.*
> *Doch jüngst kam der liebe Mond zu Gast,*
> *Vor Freude begann sie zu leuchten fast,*
> *Ist auch um ihr tiefes Geheimnis gekommen –*
> *Der Eddington hat es ja aufgenommen.*
> *Ihr Freunde drum von des Kolloquiums Runde,*
> *Wenn auch Euch einst schlägt eine schwache Stunde,*
> *Gedenkt unserer Sonne! Was sie nicht kann,*
> *Wie soll es vermögen der sterbliche Mann?*[291]

Dies spiegelt die Heiterkeit wider, mit der Einstein selbst das Ereignis aufnahm. *Es ist doch eine Gnade des Schicksals,* schreibt er an Planck, *daß ich dies habe erleben dürfen.*[292]

Der wissenschaftlichen Welt war durchaus bewusst, was sich ereignet hatte: Zum ersten Mal war die Wissenschaft über die Theorie Newtons von der Bewegung der Himmelskörper hinausgegangen. Einsteins Theorie hatte die Geometrie Euklids überwunden. Im November 1919, ein Jahr nach Beendigung des Krieges mit Deutschland, traten in London die weltberühmte Royal Society und die Royal Astronomical Society zu einer gemeinsamen Sitzung zusammen. Diejenigen, die ihr beiwohnten, wurden durch das «Wunderbare und Aufregende»[293] des Moments gepackt: Es lag in der eigenartigen Übereinstimmung zwischen den Ergebnissen des bloßen Denkens und der Bestätigung durch greifbare astronomische Daten. Der englische Mathematiker und Philosoph Alfred North Whitehead mochte vielleicht zu sehr unter dem Eindruck der momentanen Stimmung gestanden haben, wenn er berichtete: «Die ganze Atmosphäre gespannter Teilnahme war genau wie bei einem griechischen Drama: Wir waren der Chor, der zu dem Schicksalsspruch sich äußerte [...].»[294] Doch traf er etwas sehr Wesentliches: «Das Wesen tragischer Dramatik ist ja gar nicht das Unglück. Es beruht vielmehr in dem unerbittlichen Gange der Welt, und dasselbe Unerbittliche ist es ja, was im wissenschaftlichen Denken atmet. Die Gesetze der Physik sind die Sprüche des Schicksals.»[295]

Berliner Leben

Einstein privat

Kurz nach der Scheidung von Mileva heiratete Einstein seine Cousine Elsa, die mit ihren beiden Töchtern aus einer früheren Ehe im Hause ihrer Eltern lebte. Der Rahmen, den Einstein bei seinem Einzug dort antraf, entsprach dem einer großbürgerlichen Familie der Kaiserzeit. Elsa pflegte diese Lebensweise, und Einstein, dessen Anspruchslosigkeit und innere Unabhängigkeit sprichwörtlich waren, nahm die Freude an allem Diesseitigen, die für Elsa typisch war, mit Humor hin. Der Physiker Philipp Frank, Einsteins Nachfolger in Prag und sein späterer Biograph, besuchte ihn in Berlin: «Er lebte inmitten schöner Möbel, Teppiche und Bilder. Es herrschte eine geregelte Lebensführung, und häufig wurden Gäste geladen. Aber wenn man in das Haus kam, so fühlte man, daß Einstein immer ein Fremdling in einem solchen ‹bürgerlichen› Haushalt blieb: ein Wanderer durch die Welt, der einen Moment ausruht, ein Bohemien als Gast in einem bürgerlichen Heim.»[296]

Die Bildhauerin Margot Einstein, Elsas Tochter, schrieb mir nach der Lektüre einer früheren Auflage des vorliegenden Buches: «Wenn ich Ihnen diese Zeilen schreibe, geschieht es ganz einfach, weil mich mein Gewissen und mein Herz dazu treibt [...]», beim obigen Zitat von Frank, «[...] da hat sich beim Lesen in mir etwas zusammen gekrampft. Und da ich die einzig Überlebende meiner Mutter bin (Albert war mir nah verbunden, das wissen Sie, und ich ihm), möchte ich doch ein Wörtchen sagen, das ich sagen m u ß. Meine Mutter war ein großzügiger, großartiger Mensch (als jüngere Frau als Rezitatorin ausgebildet), die nicht nur durch Möbel, Bilder, Teppiche, Gesellschaften oder dergleichen zu charakterisieren ist, das wäre eine armselige Aussage, die nicht zutreffend ist. Ich muß fast darüber lachen, während meine Tränen fließen. [...] Sie wissen sicher besser als ich, daß es keine ‹objektive Wahrheit› gibt, sie ist immer vom Beobachter aus gefühlt oder gesehen. Es tut mir leid, wenn Frank nur solches in unserem Haus gefühlt hat – ich weiß nicht, ob er je meine Mutter näher gekannt hat. Aber

Albert Einstein. Gemälde von Max Liebermann, 1925

Sie werden vielleicht verstehen, daß ich den Wunsch habe, Ihnen das zu sagen – meiner Mutter wegen – und nicht meinetwegen.»[297]

Die Großzügigkeit von Elsa Einstein hat tatsächlich niemand der zahlreichen Beobachter in Zweifel gezogen. Dass sie nicht, wie es in Physikerkreisen hieß, die «geistige Größe» und «Bescheidenheit» ihres Mannes aufweisen konnte, hätte sie lachend als nicht ernsthafte Kritik kommentiert. Hielt sie ihn doch für ein Genie. Allerdings musste sie auch lernen, bei häufigen Abendgesellschaften im Schatten des gefeierten Ehemanns zu stehen. «Und niemand kümmert sich um mich.»[298] Es fehlte ihr der Applaus, den sie als frühere Rezitatorin und Schauspielerin genossen hatte. Elsa wird als kontaktfreudig, begabt, mit einem heiteren Gemüt charakterisiert. Manchmal soll sie zur Belustigung einer kleinen Gesellschaft Redeweise, Gestik und Mimik bekannter Persönlichkeiten parodiert haben. Und Einstein mochte Spaß. Ihre liebe Not hatte Elsa mit seiner schlampigen äußeren Erscheinung. Gelegentlich schnitt sie ihm die Haare, was nicht immer gut ausging, da sie extrem kurzsichtig war. Sie besorgte ihm eine Haarbürste, und der Gatte rebellierte: *Wenn ich anfange, mich körperlich zu pflegen dann bin ich nicht mehr ich selber. [...] Wenn ich Dir so unappetitlich bin, dann suche Dir einen für weibliche Geschmäcker genießbareren Freund. Ich aber bewahre mir meine Indolenz, die schon den Vorteil hat, daß mich mancher ‹Fatzke› in Ruhe läßt.* Einmal unterschrieb er eine Notiz an Elsa mit *der ehrlich dreckige Einstein*[299]. Die Ehe hatte wohl auch deshalb Bestand, weil Elsa die nötige Toleranz für ihren Partner aufbrachte.

Allerdings gab es einige Herausforderungen, die schwerer zu bestehen waren. Er konnte sie kränken, wenn er vor anderen über seine *Alte* mit ihrem *Geldhunger*[300] witzelte; er konnte auch regelrecht grob sein. Als 1926 der Philosoph Hermann Friedmann zu Besuch kam, zog ihn Einstein sofort in sein Turmzimmer. «Elsa brachte als aufmerksame Hausfrau ein Tablett mit Erfrischungen und wollte mit den üblichen Fragen beginnen: ‹Hatten Sie eine angenehme Reise?› [...] Einstein unterbrach: *Du störst. Du weißt gar nicht, wie du störst.*»[301] Bemerkenswert ist die offensichtliche Distanz, die der Ehemann gegenüber den Angelegenheiten des Familienlebens aufbrachte. Er sei eben in der glücklichen Lage, «alles von sich abschütteln zu können»[302]. Für Einstein selbst war es das alte Problem, das er mit der Metapher einer Glasscheibe beschrieb, die zwischen ihm und den anderen aufgerichtet sei. Einmal, so berichtete ein Freund, habe er Einstein in Rage gesehen, weil Elsa das Wörtlein «wir» entschlüpft sei. *Rede von dir oder von mir, aber niemals von ‹uns›.*[303]

Dass Einstein Interesse an anderen Frauen hatte, muss Elsas Eifersucht erregt haben. Es gab Eheszenen.[304] Armin Hermann analysierte das heikle Gebiet «Einstein und die Frauen» genauer.[305] «Seit ein paar Jahren hatte Einstein eine Geliebte, Toni Mendel, eine Österreicherin und Witwe eines Chefarztes, die gebildet war, sehr gut aussah und viel und gerne lachte.»[306] Mit ihr habe er sich einmal in der Woche getroffen. Dass Einstein in seinem Testament verfügt habe, ihre Briefe zu verbrennen, ist ein Gerücht.

Über seine Einstellung zu Frauen und zur ehelichen Partnerschaft geben einige Zitate Auskunft: *Sie werden wohl wissen, daß die meisten Männer (wie auch nicht wenige Frauen) von Natur nicht monogam veranlagt sind. Die Natur schlägt umso mächtiger durch, wenn Sitte und Umstände dem betreffenden Individuum Widerstände in den Weg stellen. Erzwungene Treue aber ist für alle Beteiligten eine bittere Frucht.*[307] Schockierend mag klingen, was Einstein 1925 gegenüber seinem Arzt János Plesch äußerte: *Die Ehe ist bestimmt von einem phantasielosen Schwein erfunden worden [...].*[308] Teils sprechen aus solchen schnoddrigen Aphorismen seine eigenen, nicht gerade glücklichen Eheerfahrungen, teils wohl aber auch sein «Mentor» Arthur Schopenhauer. In Übereinstimmung mit diesem Pessimisten lesen sich auch Einsteins gelegentlich diskriminierenden Äußerungen über Frauen. *Verglichen mit diesen Weibern ist jeder von uns ein König, denn er steht halbwegs auf eigenen Füßen, ohne immer auf etwas außer ihm zu warten, um sich daran zu klammern. Jene aber warten immer bis einer kommt, um nach Gutdünken über sie zu verfügen. Geschieht dies nicht, so klappen sie einfach zusammen.*[309] Waren solche Plattitüden ernst gemeint? Nur wenige seiner Bemerkungen lassen sich mit den ethischen Grundsätzen vereinbaren, die er entwickelt hatte und die mit seinem öffentlichen Wirken übereinstimmen. Hier war er weit davon entfernt, eine Abwertung einzelner Menschen oder Gruppen zu dulden.

Einsteins Ehefrau gelang es trotz allem, ihm einen behaglichen Lebensraum zu gestalten. In dem ruhigen Ort Caputh am Rande Berlins erwarben die Einsteins 1929 ein Grundstück an den Havelseen. Der Architekt Konrad Wachsmann, ein Schüler von Walter Gropius, entwarf die Pläne und baute nach Einsteins Wünschen ein schlichtes Holzhaus. Elsa engagierte sich während der Bauzeit und richtete das Haus gemütlich ein. *Das Segelschiff, die*

Einstein mit seiner zweiten Frau Elsa und Stieftochter Margot, 1929

Fernsicht, die einsamen Herbstspaziergänge, die relative Ruhe; es ist ein Paradies[310], heißt es in einem Brief an die Schwester Maja. Das *dicke Segelschiff*[311] war ein Geschenk von Freunden zum 50. Geburtstag. Einstein segelte oft, manchmal den ganzen Tag; in der ländlichen Stille war er glücklich. Dort konnte er konzentriert nachdenken und zwischendurch Pilze sammeln.

Elsa war stets um eine ausgezeichnete Küche bemüht. «Er ist etwas fetter geworden»[312], urteilte Harry Graf Kessler, einer der Gäste. Und Tochter Margot soll über ihre Mutter gesagt haben, das Essen schmecke ihr «nur allzu gut»[313]. Elsa selbst bezeichnete sich als «dicke Tunte»[314]. Auch in anderer Hinsicht war Elsa allzeit eine fürsorgliche Gefährtin. Schon kurz nach der Heirat hatte sie Einsteins Mutter, die an Krebs erkrankt war und aufwändiger Pflege bedurfte, in die Wohnung aufgenommen, bis diese 1920 nach unsäglichem Leiden verstarb. Der Sohn klagte, *die Asche meines Vaters liegt in Mailand, meine Mutter habe ich vor einigen Tagen hier zu Grabe getragen*[315].

Um seine eigene Gesundheit machte Einstein sich kaum Gedanken. *Ich habe mir fest vorgenommen, mit einem Minimum ärztlicher Hilfe ins Gras zu beißen. […] Diät: Rauchen wie ein Schlot, Arbeiten wie ein Roß, Essen ohne Überlegung und Auswahl,* scherzte er. Faktisch wurde er bereits 1917 ernsthaft krank und war nahe dran, von dieser *Welt frühzeitig Abschied zu nehmen*[316]: Diagnose Magengeschwür. Elsa pflegte ihn und überwachte streng die Liegekuren und die Einhaltung der verordneten Diät. Sie umsorgte ihn «wie ein weltfremdes Kind, was er in gewisser Weise auch war»[317]. Wenige Jahre später rebellierte sein Herz. «Auf dem Röntgenbild zeigte sich ein stark vergrößertes Herz und eine aneurysmatische Ausbuchtung der Aorta.»[318] Es bestand die Gefahr, dass das Aneurysma platzte. *Dann soll es platzen*[319], trotzte Einstein. Wieder war er nahe *am Abkratzen*[320]. Er erlitt Schwächeanfälle, einmal beim Rudern auf dem Havelsee; Bettruhe wurde verordnet. Zu einer Besucherin, Helene Dukas, die fast dreißig Jahre als Sekretärin für ihn arbeitete, meinte er: *Hier liegt eine alte Kindsleich.* Er entwickele *sich vom Tier zur Pflanze herunter,* jedoch unterscheide er sich von der Pflanze durch das *ihm verbliebene Vermögen, schlechte Witze zu machen.*[321]

Situation des Judentums und erste Angriffe

In Berlin lebte Einstein in einer Atmosphäre, in der Selbstwertgefühle durch die Demütigungen eines verlorenen Krieges geprägt waren. Die Niederlage war zwar bedrückend, der Verlust an nationaler Energie jedoch nicht so umfassend, als dass nicht ein Rest an Kraft für Schuldzuweisungen erhalten geblieben wäre. Zum Sündenbock der Katastrophe ernannte man den «Juden» und sorgte dafür, dass durch möglichst diffuse Verallgemeinerungen ein «Unschuldsbeweis» niemals erbracht werden konnte.

Die Verhältnisse waren schwierig, wenn national denkende Deutsche dieses Scheingefecht führten; sie wurden jedoch ausgesprochen kompliziert und tragisch, wenn deutsche Bürger jüdischer Herkunft, die selbst national dachten, sich verpflichtet fühlten, die Parolen der Umgebung aufzunehmen, und von «guten» und «schlechten» Juden sprachen. Auf die aus dem Osten Europas zugewanderten Juden sollten alle Beschreibungen der Antisemiten zutreffen, die von jeher in Deutschland ansässigen Juden «schuldfrei» sein.

Solch verzweifeltes Verhalten machte auf Einstein einen tiefen Eindruck: *Ich sah die würdelose Mimikry wertvoller Juden, daß mir das Herz bei diesem Anblick blutete.*[322] Er sah es als Ausdruck einer seelischen Erkrankung. «Denn kein Mensch erniedrigt sich gerne. Wenn das aber eine ganze Gruppe tut, so muß sie in sehr unnatürlichen Verhältnissen leben, und man muß nach einem Heilmittel für sie suchen.»[323] Einstein erkannte die Schwierigkeit, ein für alle Seiten heilsames Zeichen zu setzen. Die geplante Errichtung des Staates Israel auf dem historischen Boden des alten Palästina mochte solch ein Zeichen sein. Einstein war sich bewusst, dass er aufgrund seiner Berühmtheit ermächtigt und vielleicht verpflichtet war, seine Stimme für die Sache der Zionisten zu erheben.

Der Führer der zionistischen Bewegung im damaligen Berlin war Kurt Blumenfeld. Ihn lernte Einstein im Jahre 1919 kennen. Und seit dieser Zeit trat Einstein wiederholt als Anhänger der Zionisten auf. Seine gefühlsmäßige Ablehnung jeder Art von Nationalismus überwand er in der Erkenntnis, dass die Situation der gedemütigten Juden in Deutschland keinen anderen Weg offen ließ;

die politische Öffentlichkeit war damit beschritten und eine Umkehr nicht mehr möglich.

Den deutschen Professoren – jüdischen wie nichtjüdischen – blieb Einsteins Vorgehen unverständlich. Als ein sorgfältig beachtetes Axiom unter den deutschen Gelehrten galt, dass Politik und Wissenschaft stets getrennt zu bleiben hatten. Zu Fragen des öffentlichen Tagesgeschehens wurde in Anstand geschwiegen. Nur leidenschaftliche Zionisten oder Antisemiten brachen nun dieses Schweigen. Bei Kollegen, die ihm wohlwollten, galt Einstein als «enfant terrible», bei einigen wenigen jedoch erregte er ernsthaften Zorn.

Es gab drei Gruppen von Menschen, die sich gegen Einstein wandten: deren primitivste stand für die «Revolution von rechts», der es genügte, dass Einstein erstens Jude, zweitens Pazifist und drittens im ehemaligen Feindesland England hoch angesehen war. Die zweite Gruppe war eine weltanschauliche. Unter den Physikern gab es einige, die der experimentellen Forschung einseitig den Vorzug gaben. Für sie musste es eine Herausforderung bedeuten, wenn ein Physiker mit den Mitteln des reinen Denkens Theorien von so weitreichender Bedeutung aufzustellen suchte. In Einsteins Ruhm schien ihnen eine Zurücksetzung des ehrlichen Arbeiters zugunsten des leichtsinnigen Erfinders zu stecken. Eine dritte Gruppe beschäftigte sich schließlich nur mit Hypothesen. Sie hatte die Relativitätstheorie gründlich missverstanden und setzte deren vermeintlichem metaphysischem Inhalt ihre eigenen philosophischen Gedanken entgegen.

Diese drei Gruppen fanden sich zu einer Art «Bewegung» gegen Einstein zusammen. Sie nannten sich «Arbeitsgemeinschaft deutscher Naturforscher zur Erhaltung reiner Wissenschaft». Ihr bis dahin völlig unbekannter geistiger Führer war ein gewisser Paul Weyland. Er organisierte groß angelegte Versammlungen. An der ersten nahm Einstein als geladener Gast teil – und klatschte zu den Angriffen freundlich Beifall. Ab und zu habe der Geschmähte

Es steckt aber noch etwas anderes in der jüdischen Tradition, [...] nämlich eine Art trunkener Freude und Verwunderung über die Schönheit und Erhabenheit dieser Welt [...]. Es ist das Gefühl, aus welchem auch die wahre Forschung ihre geistige Kraft schöpft, das sich aber auch im Gesang der Vögel zu äußern scheint.
Albert Einstein

gelächelt. «Es war wohl eher ein schmerzliches Lächeln als ein belustigtes.»[324]

Max von Laue, Walther Hermann Nernst und Heinrich Rubens, drei der hervorragendsten Fachkollegen Einsteins, entschlossen sich unverzüglich zu einer Stellungnahme für Einstein und gegen die «Antirelativistische GmbH». Sie erklärten öffentlich: «Wer die Freude hat, Einstein näher zu stehen, weiß, daß er von niemand in der Achtung fremden geistigen Eigentums, in persönlicher Bescheidenheit und Abneigung gegen Reklame übertroffen wird. Es scheint eine Forderung der Gerechtigkeit, ungesäumt dieser unserer Überzeugung Ausdruck zu geben, um so mehr, als dazu gestern abend keine Gelegenheit geboten wurde.»[325]

Die im Grunde zunächst nicht ernst zu nehmende Kampagne gegen Einstein gewann erheblich an Respekt, als sich an ihre Spitze ein weiterer angesehener Physiker, der Nobelpreisträger Philipp Lenard aus Heidelberg, stellte. Lenard hatte sich während des Krieges als extremer Nationalist, Feind aller Pazifisten, Sozialisten und Juden hervorgetan und war in der Physik Anhänger einer reinen Empirie. Er hoffte, 1920 auf der jährlich stattfindenden Tagung der Naturforscher und Ärzte in Bad Nauheim seine Gedanken einem breiten Publikum nahe bringen zu können. Dank der Umsicht von Max Planck, der den Vorsitz führte und den beiden Kontrahenten – Lenard und Einstein – nur eine minimale Redezeit zur Verfügung stellte, blieb die Sensation allerdings aus. Es war aber auch die Gelegenheit verschenkt worden, den unsachlichen Einstein-Gegnern in klarer Weise den Inhalt der Theorie und die Verdienste Einsteins zu erläutern.

Lenard trat mit viel Enthusiasmus an, erreichte aber nur wenig. Er suchte der Schwierigkeit zu begegnen, die darin bestand, dass selbst Einsteins schärfste Gegner gezwungen waren, mit dessen Massen-Energie-Formel zu rechnen, wenn sie in das Innere der Materie eindringen wollten. Lenard versuchte nachzuweisen, dass der Satz von der Umwandlung von Masse in Energie bereits vor Einstein von einem österreichischen Physiker aufgestellt worden war. Lenards Meinung konnte sich in wissenschaftlichen Kreisen jedoch nicht durchsetzen.[326]

Die Ereignisse hatten sich für Einstein bereits zwei Jahre später (1922) weiter zugespitzt. Anfang Juli sagte er einen vereinbar-

Einstein auf dem von Erich Mendelsohn erbauten Einstein-Turm auf dem Telegraphenberg bei Potsdam, 1921

ten öffentlichen Vortrag ab. An Planck schrieb er, er sei von mehreren Seiten davor gewarnt worden, sich in der nächsten Zeit in Berlin aufzuhalten und insbesondere davor, öffentlich aufzutreten: *Denn ich soll zu der Gruppe derjenigen Personen gehören, gegen die von völkischer Seite Attentate geplant sind […]. Die* ganze *Schwierigkeit kommt daher, daß die Zeitungen meinen Namen zu oft genannt und dadurch das Gesindel gegen mich mobil gemacht haben. Nun hilft nichts als Geduld und – Verreisen. Eines bitte ich Sie: nehmen Sie dies kleine Vorkommnis mit Humor hin, wie ich es auch tue.*[327]

Vortragsreisen und Abschied von Berlin

In den Jahren seines wachsenden Ruhms hielt Einstein Vorträge in Nord- und Südamerika, Europa, Japan und Palästina. Auch Zürich warb erneut um ihn. Er kam diesen Bestrebungen wenigstens insoweit entgegen, als er im Wintersemester 1919 dort Gastvorlesungen hielt. Ein Jahr später wurde ihm diese Belastung zu groß.

Kaum von ihr befreit, bot ihm die Universität Leiden eine außerordentliche Professur an. Der große Physiker Hendrik Antoon Lorentz hatte sich 1923 aus der wissenschaftlichen Welt zurückgezogen, und die Leidener Fakultät kannte keinen würdigeren Nachfolger als Einstein. Dieser sah sich außerstande, auf das Angebot einzugehen; Paul Ehrenfest wurde Nachfolger von Lorentz, und Einstein nahm lediglich einen Lehrauftrag wahr. Er pendelte von nun an zwischen Berlin und Leiden. Einstein gefiel das stille Städtchen, von hier klang der Lärm in Berlin nur noch wie ferne Brandung.

Im Januar 1921 kehrte Einstein für wenige Tage an seine alte Wirkungsstätte Prag zurück. Der Freund Philipp Frank bot ihm in seiner unkonventionellen Art das ehemalige Arbeitszimmer im Physikalischen Institut als Domizil an, jenen Raum, aus dessen Fenster heraus Einstein einmal – so Frank – auf den Garten der Irrenanstalt gezeigt hatte: *Sie sehen dort den Teil der Verrückten, der sich nicht mit der Quantentheorie beschäftigt.*[328]

Zu Einsteins Vortrag in Prag strömte eine große Menschenmenge zusammen. Im Auditorium herrschte eine merkwürdige Atmosphäre: «[...] das Publikum war viel zu aufgeregt, um sich überhaupt zu bemühen, dem Sinn des Vortrages zu folgen. Man wollte nicht verstehn, sondern einem aufregenden Ereignis beiwohnen.»[329] Dieser Eindruck verstärkte sich, als Einstein, von Prag kommend, in Wien vor 3000 Menschen sprach: «Das Publikum befand sich [...] in einem merkwürdigen, erregten Zustand, in dem es schon gar nicht mehr darauf ankommt, was man versteht, sondern nur darauf, daß man in unmittelbarer Nähe einer Stelle ist, wo Wunder geschehen.»[330] Einstein muss sich den Emotionen der Bevölkerung geradezu ausgesetzt gefühlt haben, doch er hatte sich entschieden und wollte sich nicht in den Elfenbeinturm zurückziehen. Er war bereit, seinen wissenschaftlichen Weltruhm für gute Zwecke einzusetzen.

Als Chaim Weizmann Einstein bat, ihn auf einer Reise in die USA zu begleiten, um durch Vorträge für die Errichtung einer Universität in Jerusalem zu wirken, willigte er ein: Er sah darin eine Chance, den Aufbau eines neuen jüdischen Staates zu unterstützen. Außerdem bot sich die Gelegenheit, die Stellung der Wissenschaft in dem fernen Kontinent für eine spätere Zukunft kennen

Mit Chaim Weizmann, New York 1921

zu lernen. Seine Berliner Situation mag ihm gegenwärtig gewesen sein, als er in Amerika gefeiert wurde: «Wir begrüßen den neuen Kolumbus der Naturwissenschaft, der einsam durch die fremden Meere des Denkens fährt.»[331] Rund ein Jahrzehnt später sollte Princeton seine letzte Heimat werden.

Im Jahre 1922 folgte Einstein einer Einladung das Physikers Paul Langevin nach Frankreich, dieser war um die Versöhnung zwischen den Völkern bemüht. Einsteins Vortrag wohnten viele Gelehrte von Weltruf bei, so Marie Curie und der Philosoph Henri Bergson. Lediglich die berühmte Académie Française verharrte in ihrem nationalen Vorurteil: Bei den Verhandlungen, ob man Einstein einladen solle, erklärten dreißig Mitglieder, sie würden den Saal verlassen, sobald Einstein ihn beträte.

Lieber als in die Länder der ehemals kriegführenden Staaten fuhr Einstein in den Nahen und Fernen Osten: *In Japan war es wundervoll,* hieß es in einem seiner Reiseberichte an Solovine. *Feine Lebensformen, lebendiges Interesse für alles, Kunstsinn, intellektuelle*

Naivität bei gutem Verstand – ein feines Volk in einem malerischen Land.[332]

Als Einstein in dieser Zeit wieder einmal von einer seiner Reisen nach Berlin zurückkehrte und die erste Sitzung der Preußischen Akademie besuchte, «da waren die Sitze um ihn herum auffallend schwach besetzt, viele Mitglieder fehlten. Vielleicht war es ein Zufall».[333]

Um die Jahreswende 1930/31 ging das Ministerium in Berlin darauf ein, Einstein vom Wintersemester 1930 an pro Kalender-

Albert Einstein und seine Frau Elsa in Pasadena, um 1931

jahr einen vierteljährigen Aufenthalt in Amerika zu genehmigen. Während der Sommermonate sollte er in der Akademie in Berlin tätig sein. Von einer solchen Reise aus Amerika zurückgekehrt, betrat Einstein 1933 zum letzten Mal europäischen Boden. Vom belgischen Badeort Le Coq (De Haan) aus löste er die Verbindungen mit der deutschen Hauptstadt, in der die Nationalsozialisten die Macht übernommen hatten.

Die Akademie verschaffte ihm einen unrühmlichen Abgang. In einem Brief des ständigen Sekretärs der Akademie wurde Einstein beschuldigt, «an der Greuelhetze in Frankreich und Amerika»[334] gegen die damalige Regierung teilgenommen zu haben. Die Akademie hatte ungeprüft Zeitungsnachrichten übernommen. Einstein antwortete aus Le Coq (De Haan) am 5. April 1933: *Ich erkläre hiermit, daß ich mich niemals an einer Greuelhetze beteiligt habe, und ich muß hinzufügen, daß ich von einer solchen Hetze überhaupt nirgends etwas gesehen habe […]. Es würde der Akademie ein leichtes gewesen sein, sich in den Besitz des richtigen Textes meiner Aussagen zu setzen, bevor sie sich über mich in solcher Weise äußert, wie sie es getan hat […]. Ich stehe für jedes Wort ein, das ich veröffentlicht habe.*[335] Zudem gab Einstein eine Presseerklärung ab, in der er bekannte, er könne nicht in einem Staat leben, *in dem den Individuen nicht gleiches Recht vor dem Gesetz sowie Freiheit des Wortes und der Lehre zugestanden wird*[336].

In der Plenarsitzung vom 30. März 1933 wurde Einsteins Austritt aus der Akademie bekannt gegeben. Man bedauerte nicht, in Einstein einen Forscher verloren zu haben, sondern: «[…] daß ein Mann von höchster wissenschaftlicher Geltung, den die langjährige Wirksamkeit unter Deutschen, die langjährige Zugehörigkeit zu unserem Kreise mit deutscher Art und deutscher Denkweise vertraut gemacht haben mußten, in dieser Zeit im Auslande sich in einen Kreis eingefügt hat, der – sicher zum Teil in Unkenntnis der tatsächlichen Verhältnisse und Vorgänge – durch Verbreitung falscher Urteile und unbegründeter Vermutungen zum Schaden unseres deutschen Volkes sich ausgewirkt hat»[337]. Auch der Bayerischen Akademie der Wissenschaften, der Einstein als korrespondierendes Mitglied angehörte, erklärte er seinen Austritt: *Akademien haben in erster Linie die Aufgabe, das wissenschaftliche Leben eines Landes zu fördern und zu schützen. Die deutschen gelehrten Gesellschaf-*

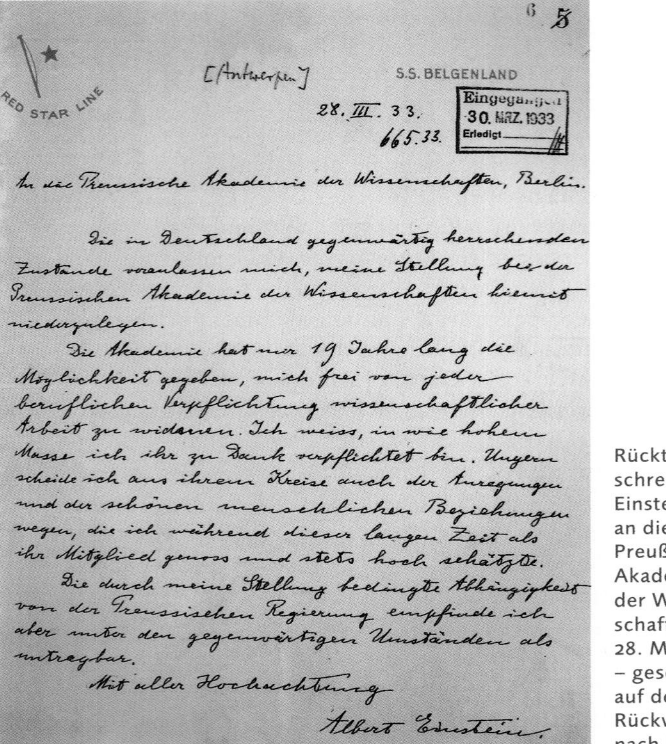

RED STAR LINE

[Antwerpen] S.S. BELGENLAND

28. III. 33.

665.33.

Eingegangen 30. MÄRZ 1933 Erledigt

An die Preussische Akademie der Wissenschaften, Berlin.

Die in Deutschland gegenwärtig herrschenden Zustände veranlassen mich, meine Stellung bei der Preussischen Akademie der Wissenschaften hiermit niederzulegen.

Die Akademie hat mir 19 Jahre lang die Möglichkeit gegeben, mich frei von jeder beruflichen Verpflichtung wissenschaftlicher Arbeit zu widmen. Ich weiss, in wie hohem Masse ich ihr zu Dank verpflichtet bin. Ungern scheide ich aus ihrem Kreise auch der Anregungen und der schönen menschlichen Beziehungen wegen, die ich während dieser langen Zeit als ihr Mitglied genoss und stets hoch schätzte.

Die durch meine Stellung bedingte Abhängigkeit von der Preussischen Regierung empfinde ich aber unter den gegenwärtigen Umständen als untragbar.

Mit aller Hochachtung

Albert Einstein.

Rücktrittsschreiben Einsteins an die Preußische Akademie der Wissenschaften, 28. März 1933 – geschrieben auf dem Rückweg nach Europa

ten haben aber – soviel mir bekannt ist – es schweigend hingenommen, daß ein nicht unerheblicher Teil der deutschen Gelehrten und Studenten sowie der auf Grund einer akademischen Ausbildung Berufstätigen ihrer Arbeitsmöglichkeit und ihres Lebensunterhaltes in Deutschland beraubt wird. Einer Gesellschaft, die – wenn auch unter äußerem Duck – eine solche Haltung einnimmt, möchte ich nicht angehören.[338]

Die damalige deutsche Regierung konfiszierte sein Vermögen. Auch sein Landhaus in Caputh fiel an den Staat. Im Herbst 1932 soll Einstein zu seiner Frau Elsa gesagt haben, sie möge sich das schöne Heim noch einmal gut anschauen, wahrscheinlich würde sie es nicht wiedersehen.[339]

Amerika

Das Haus in Princeton

Zwei Jahrzehnte lebte und arbeitete Einstein in der Universitätsstadt an der amerikanischen Ostküste, es sollte eine erlebnisreiche, dichte Zeitspanne werden. Er und seine Familie mussten sich in eine neue Welt einleben. Aus Europa kamen die schockierenden Nachrichten über den Holocaust, den Vernichtungskrieg gegen seine *wehrlosen jüdischen Brüder*[340], und über den verheerenden Weltkrieg. Mit beständigem Engagement kämpfte er um die Rettung zahlloser jüdischer Flüchtlinge. Hiroshima und Nagasaki wurden durch Atombomben verwüstet. Er selbst rang in einem täglichen, hartnäckigen geistigen Kraftaufwand um eine Einheitliche Feldtheorie. Seine Popularität wurde ihm zur Belastung, die er dennoch einsetzte, wenn es um gute Zwecke ging. Und schließlich war eine letzte Entwicklungsaufgabe zu bewältigen: Krankheit, Sterben und Tod – der Tod, den er *wie eine alte Schuld* auffasste, *die man endlich entrichtet.*[341]

Im Oktober 1933 betraten die Einsteins als Immigranten amerikanischen Boden. In Princeton bewohnten sie zunächst ein hübsches Haus am Library Place, zwei Jahre später erwarben sie ein 120 Jahre altes Gebäude an der Mercer Street 112. «Ein Haus im reinen Kolonialstil, liegt mitten im schönsten Teil von Princeton, nach rückwärts hat es einen zauberhaft schönen Garten»[342], berichtete Elsa an den (nicht verwandten) Musikwissenschaftler Alfred Einstein. Doch Elsa ging es schlecht. Zwar war sie noch rührig, um das neue Haus einzurichten, unterstützte Einsteins Immigrantenhilfe, begleitete ihn bei anfallenden Begrüßungsfeiern, doch ohne ihre beiden Töchter fühlte sie sich «unendlich allein»[343]. Zudem widerfuhr ihr ein schmerzliches Unglück: In Paris pflegte die jüngere Tochter Margot ihre Schwester Ilse, die bald ihrer Tuberkulose erlag. Die Mutter eilte noch nach Paris an Ilses Sterbebett. «Es war eine Bestialität», weinte sie. «Man sagt, die Zeit lindere. Aber ich glaub's nicht.» Bald nach ihrer Rückkehr litt sie an Nieren- und Herzinsuffizienz. «Käme mein Ilschen herein, wäre ich

Das Haus der Einsteins in Princeton

sofort gesund.»[344] Elsa schrieb Anfang Dezember ihr Testament, kurz vor Weihnachten 1936 starb sie mit 61 Jahren. Sie war fast zwei Jahrzehnte mit Einstein verheiratet gewesen. Etwa zwei Monate nach ihrem Tod schrieb der Witwer an Max Born: *Ich hause wie ein Bär in einer Höhle und fühle mich eigentlich mehr zu Hause als je in meinem wechselvollen Leben. Diese Bärenhaftigkeit ist durch den Tod der mehr mit Menschen verbundenen Kameradin noch gesteigert.*[345]

Drei Frauen wohnten nun in Einsteins Hausgemeinschaft: Tochter Margot, seine Sekretärin Helen Dukas, die nach Elsas Tod auch die anfallenden Hausarbeiten bewältigte, sowie ab 1939 seine Schwester Maja. Die herzlichste Nähe verspürte er wohl zu Maja. Frank erzählt[346], die Geschwister seien sich sehr ähnlich gewesen. Tragisch war, dass Maja die letzten fünf Jahre bis zu ihrem Tod 1951 schwer erkrankt das Bett hüten musste. *In den letzten Jahren habe ich ihr jeden Abend aus den feinsten Büchern der alten und neuen Literatur vorgelesen. Ihre Intelligenz hatte merkwürdigerweise durch die vorgeschrittene Krankheit kaum gelitten, obwohl sie in der letzten Zeit kaum mehr vernehmlich reden konnte. Nun fehlt sie mir mehr, als man sich leicht vorstellen kann. Ich bin aber wie erlöst, daß sie es hinter sich hat.*[347]

In den kommenden Jahren unterhielt Einstein ein offenes Haus. Besucher mit großen Namen trafen ein: Max von Laue, Erwin Schrödinger, Niels Bohr, Irene Joliot-Curie, Karl Popper, Bertrand Russell, Pandit Nehru mit Tochter Indira Gandhi. Vor Ort wirkten Hermann Weyl, der fähige Mathematiker, und der erfahrene Physiker Rudolf Ladenburg. Zwei Jahre lang wohnte Thomas Mann in der Nachbarschaft. Doch wurden nicht nur mit Honoratioren Freundschaften geknüpft. Da gab es den lebenstüchtigen Pädagogen Leon Watters, der in New York eine hebräische Ausbildungsstätte leitete. Ein Kontakt noch aus Berliner Zeiten zu dem Röntgenologen und «Leibarzt» Gustav Bucky wurde neu belebt;

Nachbar in Princeton: Thomas Mann. Foto von Lotte Jacobi, 1938

mit dessen Familie gestaltete Einstein öfter die freie Sommerzeit zwischen Mai und August. Man fuhr nach Watch Hill auf Rhode Island, Old Lyme an der Küste von Connecticut oder zum Saranac Lake in den Adirondacks im Norden des Staates New York. Man war hier *wohl und vergnügt*[348]. Kein Wunder, Einstein konnte seiner Leidenschaft frönen und segeln. Er war Nichtschwimmer, vielleicht lehnte er deshalb schnellere Hilfsmotoren ab, die man ihm des Öfteren anbot.

Der Arbeitsplatz

Das Institute for Advanced Study hatte den «Kolumbus der Naturwissenschaften»[349] mit hohen Erwartungen aufgenommen. Diese Forschungsstätte war auf der Basis einer privaten Stiftung entstanden. Sie sah ihre Aufgabe darin, jungen Akademikern nach erfolgreichem Studienabschluss Gelegenheit zu geben, sich in unkonventionellem Kontakt mit Wissenschaftlern ersten Ranges weiterzubilden. Ihr eifriger und überbesorgter Leiter Abraham Flexner hatte sich schon 1932 in Berlin die Zusage Einsteins eingeholt, an diesem Projekt mitzuwirken. Seine neue Wirkungsstätte ähnelte in vielem dem Berliner Kaiser-Wilhelm-Institut. Es gab auch hier keine Vorlesungsverpflichtungen und keine festen Forschungsprogramme. Als Einstein 1933 ankam, fand er achtzehn Kollegen vor. Es war von Anfang an ein Lieblingsgedanke der Gründer gewesen, dem neuen Institut einen gewissen klösterlichen Charakter zu geben. Einstein fand hier für die nächsten 22 Jahre eine geistige Heimat; im Juni 1944 wurde er zwar emeritiert, behielt aber bis zu seinem Tod sein Arbeitszimmer bei.

> Es ist ein erfreuliches Zeichen für unsere als materialistisch gescholtene Zeit, daß sie aus Menschen Heroen gestaltet, deren Ziele ausschließlich auf geistigem und moralischem Gebiet liegen. Dies beweist, daß Erkenntnis und Gerechtigkeit von einem großen Teil der Menschen über Besitz und Macht gestellt werden. In besonders hohem Maße scheint nach meinen Erfahrungen diese idealistische Einstellung in dem als besonders materialistisch verschrienen Amerika vorzuherrschen.
>
> Albert Einstein

Nicht wahr, Sie wundern sich, was für ein Gegensatz besteht zwischen meiner Berühmtheit in der Welt, dem Lärm über mich in den Zeitungen und der Isolierung und Stille, in der ich hier lebe. Diese Isolierung habe ich mein ganzes Leben gewünscht und hier in Princeton gefunden[350] – doch seine Idylle blieb nicht ungetrübt. Wegen jener Publicity, von der Einstein sprach, kam es bereits in den ersten Monaten zu Auseinandersetzungen mit Direktor Flexner. Dieser hatte Einstein unterstellt, er sei an der lärmenden Resonanz nicht ganz unschuldig. Hatte doch der Physiker, um nur einen seiner «Fehltritte» zu nennen, in einem New Yorker First-Class-Hotel ein Wohltätigkeitskonzert gegeben. Solche Aktivitäten passten nicht zum Image eines hehren Forschungsinstituts. Einstein musste sich wehren und behielt bis zum Wechsel des Direktoriums ein gespanntes Verhältnis zu Flexner. *Ich [muß] Ihnen aber offen sagen, daß mir Ihre wiederholte Einmischungen in meine Privatangelegenheiten unbegreiflich, ja sogar untragbar erscheinen. Kein aufrechter Mann kann sich derartiges gefallen lassen, und ich gedenke es auch nicht zu tun.*[351] Wie so oft brauchte er auch in Princeton sein *dickes Fell*, um sich dem Druck zu entziehen und eine freie Arbeitsatmosphäre am Institut zu schaffen. Und das gelang ihm, denn unter seinen Mitarbeitern fand er wache und kreative Forscher. Er brauchte den fachlichen Dialog wie die Luft zum Atmen. 1936 klopfte Leopold Infeld an seine Tür. *Sprechen Sie Deutsch?* Infeld bejahte. Der große Physiker ergriff ein Stück Kreide und ging zur Tafel: *Vielleicht kann ich Ihnen sagen, woran ich arbeite.*[352] Die beiden wurden Freunde und verfassten gemeinsam das populäre Werk *Evolution der Physik, ein Drama der Gedanken und Ideen*[353] – wobei Einsteins Motiv zu diesem Buch darin bestand, den finanziell schlecht gestellten polnischen Immigranten Infeld durch ein Zubrot zu unterstützen.

Als talentierter Assistent erwies sich Banesh Hoffmann, der dann 1972 zusammen mit Helen Dukas eine ausgezeichnete Biographie über seinen Vorgesetzten schrieb. Hoffmann war Amerikaner und Einstein war genötigt, sich mit seinem sonderbaren, drolligen Englisch zu verständigen, über das witzige Anekdoten verbreitet wurden. «Manchmal entstand während der Arbeit völlige Verwirrung. [Dann] pflegte Einstein […] ruhig zu sagen: *I will a little think* […] und in der plötzlichen Stille ging er langsam auf und ab oder im Kreise herum und spielte dabei mit einer Haarlocke, die er um seinen Zeigefinger wickelte. Sein Gesichtsausdruck war träumerisch, weit entrückt und doch nach innen gerichtet – keinerlei Anzeichen von Anstrengung oder intensiver Konzentration, keine Spur mehr von der vorangegangenen aufgeregten Diskussion, nur ruhige, innere Einkehr – Einstein in größter Arbeitsintensität. So verstrichen Minuten – dann wandte er sich plötzlich der Welt wieder zu und beantwortete die Schwierigkeit lächelnd.»[354]

Der Amerikaner

Sieben Jahre nach seiner Ankunft in Princeton musste Einstein zusammen mit Tochter Margot und der Sekretärin Dukas eine Prüfung bestehen, um die amerikanische Staatsbürgerschaft zu erhalten. Sein Englisch und die erwarteten Einstellungen wurden akzeptiert. Am 1. Oktober 1940 konnte die Vereidigung feierlich vollzogen werden. Abgeordnete hatten schon Jahre früher bei Präsident Roosevelt ein Gesuch eingereicht, dem berühmten Schweizer Bürger Einstein die amerikanische Staatsangehörigkeit per Regierungsanordnung zu übertragen, doch die Verfassung ließ ein solches Verfahren nicht zu. Roosevelt kannte Einstein persönlich. 1934 waren der Starprofessor und seine Gattin vom Präsidentenpaar ins Weiße Haus eingeladen worden, wo die Einsteins auch übernachteten. In den Abendstunden habe man über die großen und schwierigen Probleme der damaligen Zeit diskutiert[355] – zur Erleichterung Einsteins in deutscher Sprache. In den Medien, ob in der Boulevardpresse oder in den Zeitungen der Gebildeten, wurde Einstein wie ein Weltwunder, ja wie ein «neuer Messias»[356] gefeiert. Die amerikanische Bevölkerung beteiligte sich an solcher Huldigung, wie sie in diesem Land kein Wissenschaftler je erfahren hatte. Wenn eine Ansprache angekündigt war, erschienen Tausende und dankten mit dröhnendem Beifall. Es traf also nicht zu, dass er kein Redner geworden sei, wie er einmal selbstkritisch sagte.[357] Mit seiner hellen Stimme konnte er das Publikum fesseln. Die Leute hatten einen «Narren an ihm gefressen»[358]. Als er einmal mit Charlie Chaplin in offener Limousine, begleitet von einer Polizeieskorte, durch Hollywood fuhr, jubelten 100 000 Fans den beiden Helden zu, und Chaplin räsonierte: «Mir jubeln sie zu, weil mich jeder versteht, und Ihnen, weil Sie keiner versteht.»[359] Kritisch und nachdenklich vermerkte Einstein später: *Ich sitze nun schon 17 Jahre in Amerika, ohne etwas von der Mentalität dieses Landes angenommen zu haben. Man muß die Gefahr*

Einstein, seine Tochter Margot (rechts) und Sekretärin Helen Dukas schwören am 1. Oktober 1940 den Eid auf die amerikanische Verfassung und erhalten die US-Staatsbürgerschaft.

meiden, im Denken und im Fühlen oberflächlich zu werden, wie es hier in der Luft liegt.[360] Was ihn in Amerika zum Idol machte, war seine auch durch die Medien wach gehaltene Präsenz im öffentlichen Bewusstsein. Sein Ruhm bescherte ihm Macht; der Name Einstein hatte Einfluss. Das wusste der Physiker. Er mischte sich ein und erreichte oft, was er erreichen wollte. Seine Aktionen konnten Weltbedeutung erreichen, wie im Falle der Entwicklung der amerikanischen Atombombe; er konnte von kritischer Wachsamkeit sein bei der Beobachtung von Justizfällen, altruistisch motiviert bei der Beschaffung von Visa für jüdische Flüchtlinge oder pädagogisch ausgerichtet, wenn er den Zeitgeist unter die Lupe nahm. Doch was machte ihn zum Superstar? Er war ein Prototyp der Hypostasierung einer spezifisch menschlichen, seit jeher bewunderten Kraft – des reinen Denkens. Dieses Denken brachte zwar für die Masse Unbegreifliches hervor, aber das Geschaffene wurde von kompetenter wissenschaftlicher Autorität zweifelsfrei anerkannt. Er trieb Physik und Mathematik, also Wissenschaft schlechthin. Bruchstücke seiner Physik sind einprägsam: «Relativitätstheorie», die geheimnisvolle kurze Formel $E = mc^2$ oder alltäglichen Erfahrungen widersprechende Paradoxa: Uhren gehen langsamer, wenn sie rasch bewegt werden; das Universum ist zugleich begrenzt und unendlich. All dies steckte in einem sympathischen Kerl, dessen scharf geschnittene Gesichtszüge und weiße wallende Mähne jeder kannte, ein bescheidener Mann, der einen abgetragenen Pulli trug und auf Socken verzichtete, ein gegenüber gesellschaftlichen Gepflogenheiten völlig unangepasster Professor, ein eigenständiger Einzelkämpfer für Freiheit und Recht – ein uramerikanisches Ideal. Er war frei von Eitelkeit und Arroganz, hatte immer einen witzigen Spruch auf den Lippen und trug den fast magischen Namen «Einstein», den man ebenso leicht erinnern wie aussprechen konnte. Er liebte seine Geige, seine Pfeife und sein Segelboot. Amerika spürte und reagierte auf sein Charisma.

Idole können unbequem werden und heftige Erregung hervorrufen. 1952 unterstützte Einstein im Wahlkampf Adlai E. Stevenson, den Gegenkandidaten von Dwight D. Eisenhower. Stevenson, der bekanntlich die Wahl verlor, suchte Einstein auf, um sich für seine Wahlhilfe zu bedanken. *Wissen Sie, warum ich Sie unterstützt habe? Ich hatte zu dem anderen noch weniger Vertrauen.*[361] In Amerika sei er wieder einmal ein «enfant terrible» geworden, weil er nicht alles, was sich zutrug, schweigend zu schlucken bereit gewesen sei.[362] Er schrieb offene Briefe. Da gab es zum Beispiel 1953 ein Gerichtsverfahren gegen Julius und Ethel Rosenberg, das ausführlich in der Presse besprochen wurde. Die Rosenbergs waren wegen Atomspionage zum Tode verurteilt worden. Einsteins Studium der Prozessunterlagen überzeugte ihn zwar, dass die Angeklagten nicht unschuldig seien, doch hielt er aufgrund des Beweismaterials die Todesstrafe für unberechtigt. Sie wurde vollzogen, und die Bevölkerung reagierte impulsiv auf Einsteins Intervention: Er sei ein «Parasit und Feigling» und kein «wahrer Amerikaner». Zugleich gab es die anderen Stimmen: Einstein sei das «Gewissen Amerikas und der Welt».[363]

In der Folge des Kalten Kriegs zwischen 1950 und 1954 wurden nicht wenige Intellektuelle als kommunistische Sympathisanten verdächtigt, die vor einem Untersuchungsausschuss unter

Senator Joseph R. McCarthy ihre Gesinnungen darzulegen hatten. Wieder wehrte sich der Nonkonformist Einstein. In den Zeitungen war von ihm zu lesen: *Was soll die Minderheit der Intellektuellen gegen dieses Übel tun? Ich sehe offen gestanden nur den revolutionären Weg der Verweigerung der Zusammenarbeit im Sinne von Gandhi. Jeder Intellektuelle, der vor ein Komitee vorgeladen wird, müßte jede Aussage verweigern, das heißt bereit sein, sich einsperren und wirtschaftlich ruinieren zu lassen, kurz, seine persönlichen Interessen den kulturellen Interessen des Landes zu opfern.*[364]

Es kann kaum verwundern, dass sich das FBI, verstärkt nach einer Anzeige von Paul Weyland (derselbe, der bereits in Berlin die Einstein-Hetzen initiiert hatte und nun den Kampf gegen den jüdischen Physiker in Amerika fortsetzte), über lange Zeit mit dem vermeintlichen Kommunisten Einstein befasste und über ihn Akten von mehr als tausend Seiten füllte.[365]

Ein großes Engagement seiner späteren Jahre richtete sich gegen das atomare Wettrüsten. Zusammen mit Bertrand Russell richtete Einstein einen berühmten Appell an Regierungen und Weltöffentlichkeit. «Wenn der Amerikaner am Morgen bei Ham and Eggs das bekannte Gesicht in der Zeitung entdeckte, wußte er, daß sich Einstein wieder einmal persönlich eingeschaltet hatte, um den Bedrohten und Verfolgten beizustehen, gegen das Unrecht aufzutreten, in jeder Form und in jedem Land, oder Stellung zu beziehen gegen den Wahnsinn des Wettrüstens. Die Zeitgenossen haben es meist nicht eigens gesagt, aber gefühlt haben sie es alle, daß der Weltweise mit ein paar Gleichgesinnten – Albert Schweitzer, Bertrand Russell, Niels Bohr – dafür sorgte, daß die Mächtigen dieser Welt, vielleicht erst im letzten Augenblick, Vernunft annahmen.»[366]

Der Emigrantenretter

Unter den Stapeln von Briefen, die der Postbote täglich ins Haus schleppte, befanden sich zwar auch dreiste Bittbriefe, doch den weit größeren Anteil bildeten Hilferufe von Menschen, die sich im Land des Naziterrors in größter Lebensgefahr befanden. Das Netz von Einsteins Beziehungen zu Personen, die weiterhelfen konnten, war weit gespannt. Seine Frau Elsa nannte Einstein einmal den «König der Schnorrer»[367]. Er verfasste unzählige Stellungnahmen, gab freimütig Bürgschaften, die zur Einreisegenehmigung erforderlich waren, und suchte Geldgeber für seine Flüchtlingshilfe. «Seine einzige Hilfe war der Einfluß seines Namens»[368], so der Biograph Ronald W. Clark. Meist waren es Wissenschaftler und Künstler, die er vor unerträglicher Qual oder gar vor dem Vernichtungslager bewahren konnte. Ein Beispiel (beschrieben bei Banesh Hoffmann[369]): Ein Pastor der amerikanischen Gemeinde in Berlin bat Einstein, dem jüdischen Geiger Boris Schwarz und seiner Familie eine Immigration zu ermöglichen. Einstein bestätigte den Behörden, der Asylsuchende werde dem amerikanischen Land nicht zur Last fallen. Ein reicher Bankier musste als Bürge gewonnen werden. Schwarz hatte den Nachweis zu erbringen, dass er tatsächlich den Physiker persönlich kannte (glücklicherweise konnte er ein Foto beschaffen, auf dem beide abgelichtet waren). Um dem Musiker Schwarz in Amerika die geforderte Anstellung zu verschaffen, wandte sich Einstein schließlich an den Dirigenten Eugene Ormandy, der seine Unterstützung zusagte, falls er von Einstein ein Foto mit Widmung bekäme.

Einstein machte keine Unterschiede; in einem Brief an seine Schwester Maja aus dem Jahre 1938 hieß es: *Marie D(reyfus) habe ich etwas Geld geschickt und helfe der Ulmer Verwandtschaft auszuwandern. Bei den Jungen ist es leicht, bei den Alten schwierig. Solche Leute wie Paul Moos müssen ins nahe Ausland in Sicherheit gebracht und bescheiden versorgt werden. Ich werde einen großen Teil meiner Einkünfte auf solche permanenten Leistungen verwenden müssen. Gumpertz' müssen auch heraus.*[370]

Einsteins Zorn

Nach dem Krieg meldete sich Einstein zu den Plänen der Alliierten für die Zukunft Deutschlands zu Wort. Er wollte wie Henry Morgenthau das Land in einen Agrarstaat umwandeln und sprach sich entschieden dagegen aus, den Deutschen das Ruhrgebiet zu überlassen, um den etwaigen Aufstieg einer zukünftigen Industriemacht von vornherein zu verhindern. Mit den Deutschen wollte er nichts mehr zu tun haben. Otto Hahn erhielt eine Absage, als er Einstein für eine Mitgliedschaft der neuen Max-Planck-Gesellschaft gewinnen wollte. Einstein weigerte sich außerdem, Ehrenbürger der Stadt Berlin zu werden oder dem Bundespräsidenten Heuss zustimmend zu antworten, als er ihn für eine Wiedergeburt des Ordens «Pour le Mérite» zu begeistern versuchte. Auch Arnold Sommerfeld, der ihn im Auftrag der Bayerischen Akademie der Wissenschaften als Mitglied zurückgewinnen wollte, bekam aus Princeton eine Absage.

Der Holocaust war ein Weltverbrechen, das Einstein nie verzeihen konnte; für ihn waren es nicht nur die Nazis: *Die Deutschen als ganzes Volk sind für diese Massenmorde verantwortlich und müssen als Volk dafür bestraft werden, wenn es eine Gerechtigkeit in der Welt gibt und wenn das Bewußtsein der Völker für kollektive Verantwortlichkeit nicht vollends untergehen soll […].*[371] James Franck, ein ebenfalls in die USA emigrierter, mit dem Nobelpreis ausgezeichneter Physiker, verfasste 1945 einen Appell, um die Not der Ältesten und Jüngsten im daniederliegenden Deutschland zu lindern. Sein Aufruf richtete sich vor allem an amerikanische Immigranten. Einstein reagierte: *Die «Tränenkampagne» der Deutschen nach dem letzten Kriege ist mir noch in zu guter Erinnerung, als daß ich auf diese Wiederholung hereinfallen könnte. Die Deutschen haben nach einem wohlerwogenen Plan viele Millionen Zivilisten hingeschlachtet, um sich an deren Stelle zu setzen. […] Sie würden es wieder machen, wenn sie nur könnten. Die paar weißen Raben, die es unter ihnen gegeben hat, ändern daran absolut nichts.*[372] Für Einstein waren die Deutschen in einer mit anderen Völkern nicht vergleichbaren, gefährlichen Tradition sozialisiert. Seit Bismarck und Treitschke wurzelten sie in einer militaristischen, weitgehend *einheitlichen Mentalität und Werteskala*[373]. Allenfalls einer von tausend oder zehntausend würde es vermögen, sich davon zu lösen. Energisch trat Einstein 1952 gegen die Wiederbewaffnung Deutschlands ein, die er von einem unheilvollen Machtstreben motiviert sah. Anders als nach dem Ersten Weltkrieg (damals bedauerte er die Revanche-Politik Clemenceaus gegen die Deutschen) konnte sich Einstein nach dem zweiten Weltverbrechen der Deutschen in keiner Weise mehr mit ihnen aussöhnen; die Wunden brannten und heilten nicht wieder.

Homo politicus

1952 wurde Einstein das Amt des Staatspräsidenten des Staates Israel angetragen, nachdem dessen erster Präsident, Chaim Weizmann, gestorben war. Als Einstein diese Nachricht bekam, rief er den Botschafter Israels in den USA, Abba Eban, an, erklärte ihm seine Bedenken und sprach deutlich eine Ablehnung aus: Er habe nie eine Aufgabe übernommen, der seine Fähigkeiten nicht entsprochen hätten. Seine Stärke liege nicht im Umgang mit Menschen. Denn von Jugend an habe er sich mit Beobachtungen von Naturvorgängen beschäftigt. Der Botschafter versuchte, Einstein in einem Brief dennoch zu überreden: «Ich verstehe die Besorgnisse und Bedenken, die Sie an jenem Abend geäußert haben. Ich weiß mich mit Ihnen einig in dem Gefühl, daß der Antrag der Ministerpräsidentenschaft die höchste Anerkennung darstellt, die das jüdische Volk einem seiner Söhne zollen kann. Mit dieser persönlichen Wertschätzung verknüpfen wir das Gefühl, daß Israel räumlich zwar ein kleiner Staat ist, der sich aber auf bedeutende Höhe erheben kann, wenn er die schönsten seelischen und geistigen Traditionen verkörpert, die das jüdische Volk während den vergangenen und gegenwärtigen Zeiten in seinen besten Köpfen und Herzen gefestigt hat. Übereinstimmend mit Ihren wiederholten eigenen Ermahnungen hat uns, wie Sie wissen, unser erster Präsident stets angehalten, unser Schicksal unter derart großen Perspektiven zu erwägen. Deshalb hoffe ich, daß, wie immer Ihre Antwort auf diesen Antrag ausfallen möge, Sie hochherzig über die urteilen werden, die ihn veranlaßt haben, sowie die hohen Ziele und Motive billigen, die sie bestimmten, in dieser feierlich-ernsten Stunde an Sie zu denken.»[374]

Einstein schrieb endgültig ab. Er sei *tiefbewegt über das Anerbieten* seines Staates Israel, *freilich auch traurig und beschämt darüber*, dass es ihm unmöglich sei, *dies Anerbieten anzunehmen [...]. Mein Leben lang mit objektiven Dingen beschäftigt, habe ich weder die natürliche Fähigkeit noch die Erfahrung im richtigen Verhalten zu Menschen und in der Ausübung offizieller Funktionen. Deshalb wäre ich für die Erfüllung der hohen Aufgabe auch dann ungeeignet, wenn nicht vorgerücktes Alter meine Kräfte in steigendem Maße beeinträchtigen würde. Diese Sachlage betrübt mich um so mehr, als die Beziehung zum jüdischen Volke meine stärkste menschliche Bindung geworden ist, seitdem ich volle Klarheit erlangt habe über unsere prekäre Situation unter den Völkern. Nachdem wir in diesen Tagen den Mann*

Ein ganzes Leben lang war ich hin- und hergerissen zwischen Politik und Gleichungen.
Albert Einstein

verloren haben, der viele Jahre lang unter widrigen und tragischen Umständen die ganze Last der Führung unseres Strebens nach äußerer Selbständigkeit auf seinen Schultern getragen hat, wünsche ich von Herzen, daß ein Nachfolger gefunden werde, der auf Grund seines Wirkens und seiner Persönlichkeit es sich zutrauen darf, die schwere und verantwortungsvolle Aufgabe zu übernehmen.[375]

«Trotz aller Solidarität», so der Wissenschaftshistoriker Armin Hermann, «war ihm Israel ein fremdes Land, und er sprach weder Hebräisch noch genügend Englisch. Eine merkwürdige Vorstellung: In der Staatsspitze Israels hätte das Deutsche als Verkehrssprache eingeführt werden müssen. [...] Ben Gurion wusste sehr genau, dass Einstein zum Staatspräsidenten ungeeignet war. ‹Was sollen wir tun›, fragte er einen Sekretär, ‹wenn Einstein annimmt? Wir kommen in die größten Schwierigkeiten.›»[376]

Die Atombombe

Amerikanische Physiker, unter ihnen Leo Szilard und Eugene Paul Wigner, die beide aus dem nationalsozialistisch regierten Deutschland emigriert waren, hatten in der Entdeckung der Uranspaltung durch Otto Hahn und Fritz Straßmann die Möglichkeit ihrer militärischen Verwendung erkannt. Szilard hatte angenommen, Deutschland könnte mit Hilfe des besetzten Belgien große Uranmengen aus dessen Kolonien am Kongo beziehen. Er war der festen Überzeugung, dass Deutschland versuchen würde, eine Atombombe herzustellen. Am 2. August 1939 suchte er in Begleitung des Physikers Edward Teller Einstein an dessen Sommersitz auf. Einstein begriff sofort die Gefahr. Es wurde ein Brief an Präsident Roosevelt entworfen, *in dem die Notwendigkeit betont wurde, Experimente im Großen anzustellen zur Untersuchung der Möglichkeit der Herstellung einer Atombombe. Ich war mir der furchtbaren Gefahr wohl bewußt, welche das Gelingen dieses Unternehmens für die Menschheit bedeutete. Aber die Wahrscheinlichkeit, daß die Deutschen an demselben Problem mit Aussichten auf Erfolg arbeiten dürften, hat mich zu diesem Schritt gezwungen. Es blieb mir nichts anderes übrig, obwohl ich stets ein überzeugter Pazifist gewesen bin.*[377] Laut Eugene Paul Wigner wussten die drei Physiker nichts über eine deutsche Bemühung um eine Atombombe, «außer der Tatsache, daß Weizsäcker eine hohe Regierungsstelle hatte und sein Sohn ein bedeutender Physi-

Franklin D. Roosevelt, um 1940

ker war»[378]. Man nahm deshalb an, die deutsche Regierung könnte auf diesem Weg von der Uranspaltung zu militärischen Zwecken unterrichtet sein. Diese Annahme traf nicht zu. Vor Einsteins Brief wurde – so Carl Friedrich von Weizsäcker – «überhaupt noch nichts getan [...]. Ich möchte vor allem den einen Punkt unterstreichen, daß wir deutschen Kernphysiker gar nicht vor die Entscheidung gestellt worden sind, ob wir Bomben machen wollten oder nicht [...]. Was mich nachträglich sehr schmerzt, ist, daß wir nicht auf deutliche Weise unseren Kollegen auf der anderen Seite der Front die Kenntnis übermittelt haben, daß wir keine Bomben machten. Vielleicht hätte diese Kenntnis manches verändert.»[379] Auch Werner Heisenberg bedauerte: «Es ist leider eine weitverbreitete Legende, daß auch in Deutschland die Produktion von Atombomben versucht worden sei.»[380] Und Otto Hahn soll geäußert haben: «Ich danke Gott auf Knien, dass wir keine Atombombe gebaut haben.»[381]

Leo Szilard übergab Einsteins Brief einem Freund des Präsidenten Franklin Delano Roosevelt, Alexander Sachs, der ihn weiterreichte. In der Folgezeit begann, was von amerikanischer Seite als «Wettlauf» um die Atombombe angesehen wurde, in Wirklichkeit aber ein Alleingang der USA war.

Frédéric Joliot in Frankreich wies nach, dass sich beim Spaltungsprozess des Urans aus dem sich teilenden Atomkern Neutronen lösen, welche weitere Spaltungsprozesse einleiten können. Im Dezember 1942 brachte aufgrund dieser Kenntnisse der ebenfalls aus Europa emigrierte, nun in Amerika arbeitende Physiker Enrico Fermi in Chicago die erste Kettenreaktion zustande. In Los Alamos wurde die erste Atombombe vorbereitet. Eine Resolution der am

Manhattan-Projekt beteiligten Physiker an Roosevelt, die Bombe nur über unbewohntem Gebiet abzuwerfen, hatte keinen Erfolg. Am 6. und 9. August 1945, der Krieg mit Deutschland war seit drei Monaten beendet, wurden in Hiroshima und Nagasaki durch die Atombombe 260 000 Menschen getötet und 163 000 verwundet.

Einstein befand sich in diesen Tagen im Norden des Staates New York, als er aus dem Radio die Schreckensnachricht erfuhr. *Ich betrachte mich nicht als den Vater der Atomenergie. Mein Anteil war ein sehr indirekter. Aber: Wir Wissenschaftler, die wir diese ungeheuere Kraft entfesselt haben, tragen eine außerordentlich große Verantwortung in diesem weltweiten Kampf um Leben und Tod – einem Kampf, der darauf abzielt, das Atom zum Segen und nicht zum Ruin der Menschheit zu nutzen.*[382]

Der Atompilz über Nagasaki, 9. August 1945

Einheitliche Feldtheorie[383]

Die Verallgemeinerung der Gravitationstheorie hat mich seit 1916 unablässig beschäftigt.[384] Fast vierzig Jahre lang bemühte sich Einstein um die Verwirklichung seiner Idee. Es sei *bequem mit dem Einstein*, sagt er von sich selbst, *jedes Jahr widerruft er, was er das vorige Jahr geschrieben hat.*[385] Sein Vorbild war James Clerk Maxwell, dessen Porträt im Arbeitszimmer in Princeton hing und der in Einsteins Geburtsjahr verstorben war. Maxwell hatte ab 1863 eine Theorie zur Vereinheitlichung von Elektrizität und Magnetismus aufgestellt, für die André Marie Ampère bereits früher den Begriff «Elektrodynamik» geprägt hatte. Einstein wollte diese Vereinheitlichung fortsetzen und mit der Elektrodynamik seine Allgemeine Relativitätstheorie verknüpfen.

Es braucht viel Geduld, aber die Sache ist es wert![386] Bezwungen werden musste *ein mathematischer Quälgeist*[387], der ihm eine eher unlösbare Aufgabe übertrug. Den Ausgangspunkt bildete das Raum-Zeit-Kontinuum der Allgemeinen Relativitätstheorie: An jedem Punkt der Raum-Zeit ist ein Maßtensor **g** gegeben, mit dessen Hilfe sich Längen- und Zeitintervalle zu benachbarten Punkten berechnen lassen. Die physikalische Bedeutung des Maßtensors – wir haben es angedeutet – wird von Einstein als Gravitationsfeld erkannt. Dies war eine seiner großen Entdeckungen. In Einsteins Arbeiten zur Einheitlichen Feldtheorie kommt nun eine weitere – unabhängige – geometrische Größe hinzu: der Zusammenhang Γ. Dieser beschreibt zum Beispiel die Parallelverschiebung eines Geschwindigkeitsvektors von einem Raum-Zeit-Punkt zu einem anderen.

In nahezu allen vierzehn Arbeiten zur Einheitlichen Feldtheorie[388] spielen der Maßtensor **g** und der Zusammenhang Γ eine Hauptrolle. Gleichsam rastlos suchte Einstein mit einer Reihe von Assistenten[389] nach diesen *verwickelten Gleichungen. Eine neue Theorie nimmt eben oft nur allmählich eine feste definitive Form an [...]. Diese Entwicklung ist nun abgeschlossen insofern,* teilte er zwei Jahre vor seinem Tod mit, *als die Form der Feldgesetze völlig feststeht.*

[...] Die Frage ihrer physikalischen Gültigkeit ist [...] noch völlig ungeklärt. Es liegt dies daran, daß der Vergleich mit der Erfahrung an das Auffinden rechnerischer Lösungen der Feldgleichungen geknüpft ist, die sich einstweilen nicht gewinnen lassen. Dieser Zustand kann sehr wohl lange Zeit dauern.[390] Und Maurice Solovine teilte er mit: *Ich werde es nicht mehr fertig bringen, es wird vergessen werden und es muß wohl später wieder entdeckt werden. So ist es ja schon mit so vielen Problemen gegangen.*[391]

Wechselwirkung

Ein Problem, das sich im Rückblick zeigte, war folgendes: In Einsteins erkenntnistheoretischer Theorie war die *Vollständigkeit eines Erfahrungsfeldes* ein zentraler Faktor[392]; aber gerade dieser blieb im Falle der Einheitlichen Feldtheorie unberücksichtigt. Denn zwei Naturerscheinungen hatte Einstein nicht einbezogen. Erstens: Der natürliche Zerfall der Atomkerne wird durch eine schwache Wechselwirkung bewirkt, die durch bestimmte Elementarteilchen übertragen wird. Dies war seit der Entdeckung der Radioaktivität durch Henri Becquerel (1896) immer offensichtlicher und in einer vorläufigen Theorie von Enrico Fermi (1933) beschrieben worden. Ein zweites empirisches Datum wird durch die starke Wechselwirkung gegeben, die die Atomkerne zusammenhält. In den 1930er Jahren hatten Heisenberg, Majorana, Yukawa, Wigner und andere hierzu theoretische Entwürfe vorgelegt. Vier Puzzlesteine – Gravitation, Elektrodynamik, schwache Wechselwirkung, starke Wechselwirkung – müsste eine einheitliche Theorie integrieren.

Friedrich W. Hehl schreibt hierzu: «Heute, 50 Jahre nach Einsteins Tod, haben [die Nobelpreisträger für Physik 1979] Glashow, Salam und Weinberg zwischenzeitlich eine einheitliche Theorie der Elektrodynamik und der schwachen Wechselwirkung gefunden – allerdings auf quantenfeldtheoretischer Grundlage und nicht auf der der Allgemeinen Relativitätstheorie. Zwar weiß man, dass die Theorie der starken Wechselwirkung, die Quantenchromodynamik, strukturell gesehen mit der Glashow-Salam-Weinberg-Theorie verwandt ist (beides sind so genannte Eichtheorien), aber eine große Vereinheitlichung von starker und elektroschwacher Wechselwirkung ist bisher nicht gelungen. Die

Allgemeine Relativitätstheorie steht nach wie vor völlig unverbunden neben den anderen Wechselwirkungen da, obwohl auch sie eine Eichfeldstruktur aufweist. ‹Dreams of a Final Theory› (Steven Weinberg 1994) werden heutzutage – ganz im Einsteinschen Sinne – nach wie vor geträumt; ganz ohne Scheu auch in höheren Raum-Zeit-Dimensionen. Ob sich solche Gedankenblasen in falsifizierbare physikalische Theorien ummünzen lassen, kann allerdings beileibe nicht als geklärt gelten.»[393]

Letzte Jahre

Einstein war Anfang vierzig, als er in einem Brief behauptete: *Übrigens ist das Erfinden großen Stils Sache der Jugend und daher für mich vorbei.*[394] Immerhin grübelte er noch 35 Jahre an seiner Einheitlichen Feldtheorie. Viele Kollegen hätten, so weiß es sein Mitarbeiter Banesh Hoffmann, sein Wühlen und «andauerndes Suchen mit kaum verhüllter Geringschätzung»[395] verfolgt. Wolfgang Pauli bemerkte gar den «Verlust [von Einsteins] Dialogfähigkeit»[396].

Es war die altgewohnte Hartnäckigkeit, die ihm half, an einem Gegenstand festzuhalten und alles andere auszublenden. Was er für dieses Ringen einbringen konnte, sei, so Hoffmann, eine beispiellose, im Laufe seines Lebens gewonnene Erfahrung gewesen, eine tiefe Überzeugung, dass es doch eine solche Theorie geben müsse, «dass – wie die alten Hebräer es ausdrückten – der Herr eins ist»[397]. Daraus habe er unermüdlich schaffende Energie gezogen. Zwar habe er mit der neuesten Entwicklung seiner Wissenschaft nicht mehr Schritt halten können, seine Inspiration habe nachgelassen, Ideen seien nicht mehr sturzbachartig wie in jungen Jahren hervorgebrochen – «aber sie kamen immer noch»[398]. Einstein wollte nicht zu jener Physikergeneration zählen, «der eine Synthese der Allgemeinen Relativitätstheorie mit der Quantentheorie nicht gelungen»[399] sei. Er konnte *heureka* ausrufen: Ich hab's, um dann doch wieder zu zweifeln und nach einem neuen Anfang zu suchen. «Die Feldtheorie Einsteins ist tot. Es lebe die [neue] Feldtheorie Einsteins», witzelte Pauli.[400]

Bis wenige Tage vor seinem Tod blieb Einstein geistig aktiv. Doch schon mit sechzig Jahren vertraute er Leon Watters an: *Ich merke, wie meine physischen Kräfte mit zunehmendem Alter schwinden. Ich merke, daß ich jetzt mehr Schlaf brauche. Ich zweifle, ob mein geisti-*

ges Auffassungsvermögen geringer geworden ist. Ich begreife die Dinge genauso schnell wie früher, als ich jung war. Meine Kraft, meine besondere Fähigkeit liegt darin, die Auswirkungen, Konsequenzen und Möglichkeiten und den Zusammenhang der Entdeckungen anderer mit der heutigen Gedankenwelt zu sehen. Ich begreife Dinge im großen und ganzen leicht. Mathematische Berechnungen fallen mir schwer. Ich mache sie nicht gern und nicht schnell. Andere führen diese Details besser aus.[401] Und in einem freundschaftlichen Gespräch mit János Plesch reflektierte er: *Ich habe mich eigentlich niemals aus Eitelkeit im Spiegel beguckt. Jetzt, wo Sie mir den Spiegel vorhalten, frage ich mich, weshalb bin ich denn so berühmt? Verdiene ich das? Ich glaube nicht. Ich habe mein Leben lang probiert, e i n e n Gedanken zu Ende zu denken. Das ist mir nicht ein einziges Mal gelungen. Was ich versucht habe, hätte doch jeder andere gekonnt.*[402]

In Einsteins letztem Lebensjahr erfuhr Max von Laue in einem Brief, er, Einstein, könne sich wegen Krankheit und Alter an einer ihm gewidmeten Feier nicht beteiligen, *und ich muß gestehen daß diese göttliche Fügung für mich auch etwas Befreiendes hat*[403]. An anderer Stelle ist zu lesen: *Ich hab' mich kaum je unter den Menschen so fremd gefühlt als gegenwärtig.*[404] Öfter sprach er nun von seinem *hochgelehrten letzten Schnaufer*[405].

Bereits seit 1948 litt Einstein unter hartnäckigen Gallenbeschwerden. Professor Rudolf Nissen vom Jüdischen Krankenhaus in Brooklyn hatte deshalb eine diagnostische Öffnung der Bauchhöhle vorgenommen. Man fand eine Leberzirrhose, wahrscheinlich die Folge einer Leberentzündung, die Einstein während des Ersten Weltkriegs durchgemacht hatte. Als viel gravierender erwies sich jedoch sein Aorten-Aneurysma, dessen Wand mit dem Dickdarm verwachsen war. Dies bedeutete tägliche Lebensgefahr, weil es jeden Augenblick zu einem Einriss des Aneurysmas und damit zu innerlichem Verbluten kommen konnte.

Innerlich frei und unabhängig von dieser Bedrohung arbeitete Einstein noch weitere sieben Jahre. Er lehnte es ab, seine Hoffnung auf Überleben an eine Operation zu knüpfen; der Befund nach seinem Tod ergab, dass ein Eingriff nicht mehr möglich gewesen wäre. Am 13. April 1955 trat dann das Unabwendbare ein: Wegen plötzlicher Verschlechterung des Allgemeinbefindens wurde Einstein in das örtliche Krankenhaus eingeliefert. Eine

Einstein nach Verlassen des Jüdischen Krankenhauses
Brooklyn, 13. Januar 1949

Ruptur des Aorten-Aneurysmas galt als wahrscheinlich. Die spätere Autopsie bestätigte diese Vermutung.

Der Charakter der Unabhängigkeit, der Einsteins Art zu leben jahrzehntelang bestimmt hatte, zeichnete auch seine letzten Tage aus. Sein Sohn Hans Albert berichtete: «Samstag und Sonntag war ich noch recht viel mit meinem Vater zusammen, der sich darüber sehr freute, trotz Krankheit und Schmerzen. Er war völlig klar und heiter bis zum Schluß, obschon die Schmerzen und der Gedanke an das bevorstehende Ende, das er klar vor Augen sah, schwer zu ertragen waren.»[406] Seiner Tochter Margot, die im selben Krankenhaus lag, gab er wenige Stunden vor seinem Tod das Wort mit auf den Weg: *Ich habe meine Sache hier getan.*[407]

Für uns gläubige Physiker hat die Scheidung zwischen Vergangenheit, Gegenwart und Zukunft nur die Bedeutung einer wenn auch hartnäckigen Illusion.

Albert Einstein

Am 18. April 1955 starb Albert Einstein im Alter von 76 Jahren.

Seines Weggangs aus dieser Welt wurde in schlichtem Rahmen gedacht, wie er es gewünscht hatte. Zwölf Freunde waren versammelt; keine öffentliche Kundgebung, kein religiöses Zeremoniell, auch keine Blumen, keine Musik. Die Asche seiner sterblichen Hülle wurde in alle Winde zerstreut.

Menschen- und Weltbild

Einstein hat keine systematische Arbeit über seine Weltanschauung veröffentlicht. Würden jedoch alle gelegentlichen und zu verschiedenen Anlässen erschienenen Texte zusammengenommen – Buch- und Zeitschriftenbeiträge, Ansprachen, Aufrufe, Botschaften, Nachrufe, Briefe, Tagebuchaufzeichnungen –, so erhielten wir ein Ganzes, das sein Weltbild skizziert.

Wie für andere Forscher nahmen auch für Einstein Naturwissenschaften eine Sonderstellung ein in der ersten Hälfte des 20. Jahrhunderts: Eine große Zahl bahnbrechender Forschungsergebnisse veränderte das menschliche Dasein. Die bedeutenden Entdeckungen und Einsichten von Hermann von Helmholtz, Henri Becquerel, Wilhelm Conrad Röntgen, Marie Curie, Max Planck, Lise Meitner, Otto Hahn, Max Born, Niels Bohr und Werner Heisenberg griffen in die allgemeine Geistesgeschichte ein, in der sie zum Teil selbst verwurzelt waren. Von Adolf von Harnack wird berichtet, dass er die Klage, es gebe keine großen Philosophen mehr, mit den Worten zurückgewiesen habe: «Die Philosophen sitzen jetzt nur in der anderen Fakultät, sie heißen Planck und Einstein.»[408]

Die Kollegen unter den Physikern haben Einstein das Philosophieren stets zugestanden: «Ich kann nur die Technik der Quanten fördern», schrieb ihm Arnold Sommerfeld, «Sie müssen Ihre Philosophie machen!»[409] In einem ähnlichen Sinn äußerte sich auch Max Born: «Ich meine [...], daß Du das Recht hast zu spekulieren, andere Leute aber nicht [...]. Ich meine ganz ehrlich, wenn Durchschnittsleute sich durch reines Denken Naturgesetze verschaffen wollen, so kommt nur Mist heraus.»[410]

Judentum

Einsteins geistige Haltung zu Staat und Gesellschaft hat sich erst durch die Begegnung mit dem verfolgten Judentum herausgebildet, ähnlich wie ein Kristall erst durch die Lagerung um einen Kristallisationspunkt Gestalt annehmen kann. Die Situation des

Judentums wurde für Einstein zum *Barometer des moralischen Standards in der politischen Welt.*[411] Und dieses Barometer zeigte im 20. Jahrhundert einen Tiefstand. Eine *Minderheit*, deren *Streben* in der Ausübung alter Traditionen lag, eine *Minderheit*, die das abendländische Kulturgut bereichert hatte, eine *Minderheit, die ergebene[r] Diener der Wahrheit, Gerechtigkeit und Freiheit*[412] war, wurde verfolgt. Einstein wandte sich an seine *Brüder: Klagt nicht über das Schicksal, sondern seht in diesen Ereignissen ein Motiv, der Sache der jüdischen Gemeinschaft treu zu bleiben! [...] Bedenkt auch, daß Schwierigkeiten und Hindernisse eine wertvolle Quelle der Kraft und Gesundheit einer jeglichen Gemeinschaft sind. Wir hätten als Gemeinschaft die Jahrtausende nicht überlebt, wenn wir auf Rosen gebettet gewesen wären.*[413] Und weiter: *Euch aber sage ich, daß Sein und Schicksal unseres Volkes weniger von äußeren Faktoren abhängen als davon, daß wir treu an denjenigen moralischen Traditionen festhalten, die uns Jahrtausende überstehen ließen, trotz der schweren Stürme, die über uns hereinbrachen.*[414]

Gott zu dienen bedeute, dem Lebendigen zu dienen. *Dafür haben die Besten des jüdischen Volkes, im besonderen die Propheten und Jesus, unermüdlich gekämpft.*[415] *Heiligung des Lebens in einem überpersönlichen Sinn, Solidarisierung mit allen Menschen, mit allem Lebendigen und Dienst an der Veredlung des Lebens*[416] – darin bestand für Einstein das Wesen des Judentums. In diesem Licht sah er auch die Rückführung der über die ganze Welt verstreuten Juden in ihre alte Heimat Palästina. Hierbei handle es sich nicht um einen *Akt der Wohltätigkeit*[417], sondern um eine *große und edle Aufgabe*[418], die ein geistiges Zentrum, die Errichtung einer Kulturstätte für alle, die Zuflucht suchten, zum Ziel habe. Es gehe nicht um eine politische Gemeinschaft, sondern um ein *moralisches Zentrum*, das anderen Völkern *ein schönes Beispiel*[419] geben könne. Einstein empfand tiefe Freude über die Realisierung des jüdischen Staates, denn das *Beste im Menschen kann nur gedeihen, wenn es in einer Gemeinschaft aufgeht*[420].

Einstein erkannte sehr wohl das Problem der dort lebenden Araber, die er als sein *Brudervolk* bezeichnete.[421] Er wollte es in einer noblen, offenen und würdigen Weise gelöst sehen. Eine Zusammenarbeit der beteiligten Volksgruppen hielt er für unumgänglich und auch für realistisch. Die Schweiz, meinte er, sei doch ein Vorbild, denn sie stelle ein aus mehreren Gruppen gebildetes

Gemeinwesen dar. Würde auf beiden Seiten guter Wille herrschen, seien die Probleme, die mehr psychologischer als sachlicher Natur wären, lösbar. Für Einstein war es noch unvorstellbar, dass einst Juden und Araber als gegnerische Parteien einander gegenüberstehen könnten. Die Würde beider Völker, so glaubte er, wäre damit in den Augen der Welt verloren. Einstein machte auch detaillierte Vorschläge, wie das Problem des Zusammenlebens auf der Grundlage völliger Gleichberechtigung und gegenseitiger Achtung gelöst werden könnte. Es wirkt umso tragischer, dass die geschichtlichen Ereignisse die Beteiligten kaum dreißig Jahre später in eine völlig andere Richtung geführt haben.

Militarismus und Pazifismus

Man berichtet, Einstein soll schon als kleiner Junge in München der Militärmusik und den nach ihr marschierenden Soldaten aus dem Wege gegangen sein. *Wenn ich einmal groß bin, dann will ich nicht zu diesen armen Leuten gehören.*[422] Das Gesetz machte allerdings auch vor einer Persönlichkeit wie Einstein nicht Halt. Als er das Bürgerrecht der Stadt Zürich erhielt, musste er zur Musterung für den Militärdienst antreten: Wegen Plattfüßigkeit und Krampfadern wurde er für untauglich befunden. Die Militärsteuern wird er gern ersatzweise gezahlt haben, man braucht nur seine Aussagen von 1931 über die *schlimmste Ausgeburt des Herdenwesens* zu lesen: *Wenn einer mit Vergnügen in Reih und Glied zu einer Musik marschieren kann, dann verachte ich ihn schon; er hat sein großes Gehirn nur aus Irrtum bekommen, da für ihn das Rückenmark schon völlig genügen würde. Diesen Schandfleck der Zivilisation sollte man so schnell wie möglich zum Verschwinden bringen. Heldentum auf Kommando, sinnlose Gewalttat und die leidige Vaterländerei, wie glühend hasse ich sie, wie gemein und verächtlich erscheint mir der Krieg; ich möchte mich lieber in Stücke schlagen lassen, als mich an einem so elenden Tun beteiligen! Ich denke immerhin so gut von der*

> Blicken wir auf die Zeit, in der wir leben! […] Besonders empfindlich macht sich der Mangel an Individualitäten auf dem Gebiet der Kunst bemerkbar. Malerei und Musik sind deutlich degeneriert und haben ihre Resonanz im Volke weitgehend verloren. In der Politik fehlt es nicht nur an Führern, sondern die geistige Selbständigkeit und das Rechtsgefühl des Bürgers sind weitgehend gesunken.
>
> Albert Einstein

Menschheit, daß ich glaube, dieser Spuk wäre schon längst verschwunden, wenn der gesunde Sinn der Völker nicht von geschäftlichen und politischen Interessenten durch Schule und Presse systematisch korrumpiert würde.[423]

Als Ursache der Kriege benannte Einstein an erster Stelle das Streben nach Besitz. Er selbst berichtete davon, einmal einen bekannten amerikanischen Diplomaten gefragt zu haben, warum man denn Japan nicht durch kommerziellen Boykott zwinge, seine Gewaltpolitik zu beenden. Worauf er die Antwort erhalten habe: *Unsere Handelsinteressen sind zu stark.*[424]

Ebendeshalb hätten in unserer Zeit die moralischen Kräfte stärker zu sein als je zuvor. Wir müssten einsehen lernen, dass der *Weg zu frohem und glücklichem Dasein* nur über den *Verzicht und die Selbstbeschränkung*[425] führe. Ein schlichtes und anspruchsloses Leben sei für jeden gut, für Körper und Geist. Einstein war fest davon überzeugt, dass keine Reichtümer der Welt die Menschheit weiterbringen würden, *auch nicht in der Hand eines dem Ziele noch so ergebenen Menschen*[426]. Geld bewirke nur Eigennutz und verführe unvermeidlich zu Missbrauch. *Kann sich jemand,* so Einsteins provokante Frage, *Moses, Jesus oder Gandhi bewaffnet mit Carnegies Geldsack vorstellen?*[427]

Eine zweite Ursache der Kriege sah Einstein im Nationalismus. Oft zwängen patriotische Gefühle sogar pazifistisch eingestellte Menschen zu einem Kompromiss, der ein Heer zur Verteidigung ihrer eigenen Nation zuließe. Aber *Krieg ist kein Gesellschaftsspiel, bei dem sich die Partner brav an Regeln halten*[428]. Gehe es um Sein oder Nichtsein, träten Regeln und Verpflichtungen außer Kraft. So könne nur eines helfen: *[...] die bedingungslose Abkehr vom Krieg überhaupt [...].*[429] *Denn solange es Heere gibt, wird jeder ernstere Konflikt auch zum Krieg führen. Ein Pazifismus, der die Rüstungen der Staaten nicht aktiv bekämpft, ist und bleibt ohnmächtig.*[430]

Um den Frieden durchzusetzen, bedarf es nach Einstein eines *gewaltsamen Weges*[431], dem der Kriegsdienstverweigerung. Junge Menschen, die ihn auf sich nähmen, sollten materiell und moralisch durch internationale Organisationen unterstützt werden, welche sich die Friedenspolitik zum Ziel gesetzt hätten.

In seinen Briefen an Sigmund Freud erwog Einstein einen weiteren Weg: die Bekämpfung des Militarismus durch das Bei-

Der Pazifist Einstein bei einer Rede gegen das Atomwettrüsten, Februar 1950

spiel *hervorragender Menschen*[432]. Er kenne aus Freuds Schriften dessen tiefe Sehnsucht nach innerer und äußerer Befreiung des Menschen vom Krieg. *Zu dieser Sehnsucht bekannten sich alle, die über ihre Zeit und ihre Nation hinaus als Führer in der geistigen und moralischen Sphäre verehrt wurden. Da herrschte Einigkeit von Jesus Christus bis zu Goethe und Kant.*[433] Die geistige Elite, die in seiner Zeit den Einfluss auf die Geschichte der Völker und die politischen Entwicklungen verloren habe, solle darum bemüht sein, diesen Einfluss zurückzugewinnen. Er empfahl, internationale geistige Gemeinschaften zu bilden, die im Meinungsaustausch die Macht gewinnen sollten, alle politischen Führer der Welt zur Abrüstung zu bewegen.

Dem Individuum kam in diesem Prozess eine entscheidende Bedeutung zu: Einstein dachte dabei an Menschen wie Albert Schweitzer oder Mahatma Gandhi. Zweimal in seinem Leben hatte er Schweitzer getroffen, der seiner Meinung nach *der einzige Mensch in der westlichen Welt* war, *der eine mit Gandhi vergleichbare übernationale moralische Wirkung auf diese Generation gehabt hat. Wie bei Gandhi, beruht die Stärke dieser Wirkung überwiegend in dem Beispiel, das er durch sein praktisches Lebenswerk gegeben hat.*[434]

Die Weltregierung

Es gibt nur einen Weg zu Sicherheit und Frieden, so schreibt Einstein unter dem Eindruck der Katastrophe von Hiroshima und Nagasaki, *den Weg der übernationalen Organisation.*[435] Schwer muss auf ihm gelastet haben, dass *wir als Wissenschaftler die tragische Bestimmung haben, die schaurige Wirksamkeit der Vernichtungsmethoden noch zu steigern*[436]. In einer Botschaft ruft er die Intelligenz der Länder auf: Es müsse *unsere feierlichste und vornehmste Pflicht sein, nach besten Kräften zu verhindern, daß diese Waffen zu den brutalen Zwecken gebraucht werden, für die man sie erfand*[437].

Die entfesselte Atomkraft habe alles in Frage gestellt, auch unsere Denkweise, und so würden wir einer beispiellosen Katastrophe entgegentreiben, wenn der Mensch nicht neu zu denken lerne. Es genüge nicht, in einem *negativen Wirken*[438] allein die Hindernisse zu beseitigen, vielmehr müsse in einem *positiven Streben*[439] der Aufbau der übernationalen Organisation erfolgen. *Wir müssen unser Denken revolutionieren, unser Tun revolutionieren und den Mut haben, auch die Beziehungen unter den Völkern zu revolutionieren.*[440]

«World Government» wurde Einstein zum erlösenden Begriff. Die Weltregierung, auf gesetzlicher Grundlage errichtet, sollte die Verantwortung für das Schicksal aller Völker tragen. Ihre klar formulierte Verfassung müsse auf der Basis der Freiwilligkeit von allen Regierungen anerkannt werden. Sie sollte in der Lage sein, Konflikte unter den Nationen zu schlichten. Deshalb benötige diese Weltregierung Macht, denn *der beste Gerichtshof* bleibe ohne Bedeutung, wenn ihm keine *Exekutivgewalt* beigeordnet sei. *Moralische Autorität ist für die Erhaltung des Friedens kaum das geeignete Mittel.*[441] Einstein hatte also seinen radikalen Pazifismus aufgegeben: Macht im obigen Sinne wäre militärische Macht, die in der Lage wäre, durch rasches Eingreifen jeden Staat am Krieg zu hindern. Dafür, meinte Einstein, müssten die beteiligten Staaten bereit sein, ihre nationale Streitmacht einer übernationalen Regierung zu unterstellen.

Mit Sorge beobachtete der Physiker das Wirken der Vereinten

Nationen – die UN sei als Instrument des Friedens geschaffen worden, aber *bisher [...] über das Stadium einer bloß moralischen Autorität noch nicht hinausgekommen, wie sie es meiner Meinung nach längst hätte tun müssen*[442]. Einstein war Realist genug, um zu erkennen: *Keine internationale Organisation kann stärker sein als die ihr übertragene konstitutionelle Macht oder als die Befugnis, die ihre einzelnen Mitglieder ihr zugestehen.*[443]

Einstein sah in einer *Weltregierung* auch eine Chance zur aktiven Vermeidung künftiger Kriege. Gegenwärtig sei jeder Staat gehalten, zum Schutz vor möglichen Angriffen von außen nicht nur Waffen bereitzuhalten, sondern auch seine Bürger für den eventuellen Ausbruch eines Krieges zu präparieren. Angst vor der Gefahr von außen, vor expansiven Zielen eines möglichen Gegners (der heute noch friedlicher Nachbar sein kann), Hinweise auf eine angebliche Überlegenheit des eigenen Wirtschafts- oder Regierungssystems und nationale Überheblichkeit würden zum willkommenen Bundesgenossen einer solchen *Erziehung*. Das Ziel, eine überlegene Militärmacht darstellen zu wollen, werde *unser gesamtes öffentliches Leben mehr und mehr beherrschen und unsere Jugend vergiften, lange bevor die Katastrophe selbst über uns hereinbricht*[444].

Wo der Glaube an die Allmacht der physischen Kraft im politischen Leben die Oberhand gewinnt, gewinnt auch diese Kraft eigenes Leben und wird stärker als die Männer, die sie als Werkzeug gebrauchen wollten.[445]

Kosmische Religiosität

Als ziemlich frühreifem jungem Menschen kam mir die Nichtigkeit des Hoffens und Strebens lebhaft zum Bewußtsein, das die meisten Menschen rastlos durchs Leben jagt.[446] *Nichtigkeit* bedeutete für Einstein das Verharren im *Nur-Persönlichen*[447], in der *Ich-Fessel*[448], in der das *blind-Triebhafte*[449] dominiere. Diese Einsicht stellte für den jungen Forscher einen *Wendepunkt*[450] dar. Befreiung von der *Ich-Fessel* wurde für ihn ein existenzielles Ziel: *Der wahre Wert eines Menschen ist in erster Linie dadurch bestimmt, in welchem Grad und in welchem Sinn er zur Befreiung vom Ich gelangt ist.*[451]

Jener Nichtigkeit des gewöhnlichen Lebens kann der entsagen, dem sich ein anderer Weg geöffnet hat. Für Einstein war die

Wissenschaft in der Lage, den Menschen *aus der Sphäre der rein leiblichen Existenz emporzuheben und den Einzelnen in die Freiheit zu führen* [452]. Er sprach vom *Tempel der Wissenschaft*[453], den er aufsuche, um sich ganz der Suche nach Wahrheit zu widmen.

Gemäß Einsteins fester Überzeugung waltet im Weltenraum die *Vernunft*, in der Natur die *Harmonie.*[454] Vergangenes wie Zukünftiges seien gesetzmäßig determiniert – und dies war durchaus keine Selbstverständlichkeit, denn *a priori sollte man doch eine chaotische Welt erwarten, die durch Denken in keiner Weise fassbar ist.* Man könnte (ja sollte) erwarten, dass die Welt nur insoweit sich als gesetzlich erweise, als wir ordnend eingreifen. Es wäre eine Art Ordnung wie die alphabetische Ordnung der Worte einer Sprache. Die Art Ordnung, die dagegen z. B. durch Newtons Gravitations-Theorie geschaffen werde, sei von ganz anderem Charakter. Wenn auch die Axiome der Theorie vom Menschen gesetzt seien, so setze doch der Erfolg eines solchen Beginnens eine hochgradige Ordnung der objektiven Welt voraus.[455] Dies war für Einstein ein Wunder, das mit der Entwicklung unserer Kenntnis immer größer wurde. *Das Schönste ist, daß wir uns mit der Anerkennung des «Wunders» bescheiden müssen, ohne daß es einen legitimen Weg darüber hinaus gäbe.* Hier liege auch *der schwache Punkt für die Positivisten und die berufsmäßigen Atheisten*: Sie fühlten sich beglückt durch das Bewusstsein, die Welt nicht nur *entgöttert*, sondern auch *entwundert* zu haben.[456]

Einstein war erfüllt von dem *wunderbaren Anblick* des Bauwerks Natur – ein *Werk der Vernunft auf dem Gipfel des für uns Erreichbaren.*[457] Auf diesem Bekenntnis basiert seine *kosmische Religiosität.* Sie werde begleitet von einem Gefühl, wie es Liebende kennen oder wie es religiös schöpferische Menschen aller Zeiten erfüllt habe: Es äußere sich in einigen Psalmen Davids, bei Franz von Assisi, im Buddhismus, bei den Philosophen Demokrit und Spinoza. Die Anschauung der objektiven Natur werde zur Kraftquelle der Befreiung aus den Fesseln des Ich: *Da gab es draußen diese große Welt, die unabhängig von uns Menschen da ist und vor uns steht wie ein großes, ewiges Rätsel, wenigstens teilweise zugänglich unserem Schauen und Denken.*[458] In ihr Geheimnis einzudringen wirke als Befreiung. Der Weg sei der der Erkenntnis, das Mittel die wissenschaftliche Forschung, das Ziel der befreite, wissenschaftliche Mensch und seine «Wahrheit». Die kosmische Religiosität berge also die Quelle, die jedes tiefere wissenschaftliche Unternehmen speise.

Dass wir Mittel besitzen zu rekonstruieren, was dem Weltenbau als höchste Ordnung innewohnt, dass wir mit unserem Verstand die Rätsel der Welt wenigstens teilweise lösen und uns im Geistigen eine Existenz zu errichten imstande sind, das ist für Einstein die Verheißung der kosmischen Religion, deren sichtbares Zeichen die Begreifbarkeit der objektiven Welt sei. Einstein fragte nicht, wie diese Ordnung im Weltenbau zustande gekommen war. Er beschied sich mit Bewunderung und nahm nicht, wie Newton, einen Schöpfer an, der sie erschaffen habe und über sie herrsche.[459] Im Gegenteil: *Je mehr der Mensch von der gesetzmäßigen Ordnung der Ereignisse durchdrungen ist, um so fester wird seine Überzeugung, daß neben dieser gesetzmäßigen Ordnung für andersartige Ursachen kein Platz mehr ist. Er erkennt weder einen menschlichen noch einen göttlichen Willen als unabhängige Ursache von Naturereignissen an.*[460]

Der Philosoph Baruch de Spinoza beeinflusste Einsteins Religiosität wesentlich. *Ich glaube an Spinozas Gott, der sich in der Harmonie des Seienden offenbart*[461], bekannte er einem Rabbiner. *Jene mit tiefem Gefühl verbundene Überzeugung von einer überlegenen Vernunft, die sich in der erfahrbaren Welt offenbart, bildet meinen Gottesbegriff. Man kann ihn also in der üblichen Ausdrucksweise als «pantheistisch» (Spinoza) bezeichnen.*[462] Gott tritt in Spinozas Werken nicht als unabhängige Ursache auf, sondern ist verflochten mit den Naturereignissen selbst. Im frühen «Tractatus» des Philosophen wird das gewöhnliche

Baruch de Spinoza. Zeitgenössisches Gemälde von 1670

Streben als «vana et futilia» – eitel und nichtig – entlarvt. Spinoza sucht nach Remedien, die helfen können, dem gemeinen Leben zu entfliehen. Seine Bemühungen scheitern immer wieder, bis er schließlich sagen kann: Solange ich denke, fühle ich mich befreit. Die Gedankenarbeit wird zum befreienden Moment. Sie ist ihrer hohen Funktion allerdings nur dann gewachsen, wenn die Welt für das menschliche Denken begreifbar wird. Begreifbarkeit setzt jedoch Gesetzmäßigkeit voraus; so muss es ein Letztes, Gesetzmäßiges und Voraussetzungsloses geben, schließt Spinoza, das keiner Begründung bedarf, da es selbst der Grund ist. Für Spinoza war dies «die Substanz», für Einstein die *objektive Ordnung in einer objektiven Welt.* Gott war für Spinoza das Verstehen schlechthin, kein transzendenter, sondern ein immanenter Gott – die innewohnende, nicht die äußere Ursache aller Dinge. Das Urphänomen dieser «Substanz», dieses Gottes, war seine «Begreifbarkeit».

Und mit dieser Begreifbarkeit hing unmittelbar das Kausalitätsprinzip zusammen. Beide, Spinoza wie Einstein, sahen im Bild der logisch-mathematischen Reihen ein Analogon zur Gesetzmäßigkeit der Welt. Für Spinoza verhielt sich jedes Glied einer solchen Reihe zum andern wie der Grund zur Folge oder umgekehrt wie die Folge zum Grund. Somit würde die Kausalität der Natur oder Gott als dem Grund selbst innewohnen. Nur wer die Wirkung voll verstanden hatte, hatte nach Spinoza auch die Ursache begriffen. Und wer die Ursache nicht kannte, dem blieb auch die Kenntnis der Wirkung letztlich verschlossen.

Ein Forscher von kosmischer Religiosität, so Einstein, nehme es mit dem Kausalprinzip *wirklich ernst.*[463] Ohne diesen Glauben konnte Einstein sich keine Naturwissenschaft denken.

Sein und Sollen

Lew Tolstoj brachte die Frage auf, ob die Wissenschaft uns wohl lehren kann, wie wir leben sollen. Auch Einstein fragte: Können wir aus physikalischen Axiomen ethische Sätze für unser Handeln gewinnen?[464] Er verneinte diese Frage eindeutig. Er glaubte nicht, dass die Wissenschaft in der Lage sei, den Menschen Moral zu lehren. Denn seines Erachtens hat die Wissenschaft ausschließlich zum Ziel festzusetzen, was ist. Die Bestimmung dessen, was sein soll, ist auf wissenschaftlichem Weg nicht erreichbar. *Die Er-*

kenntnis der Wahrheit ist herrlich, aber als Führerin ist sie so ohnmächtig, daß sie nicht einmal die Berechtigung und den Wert unseres Strebens nach Wahrheit zu begründen vermag.[465] Wissenschaft kann zwar ethische Sätze in einen Zusammenhang bringen und eventuell einen Beitrag zur Verwirklichung moralischer Ziele leisten – die Zielsetzung selbst aber liegt außerhalb ihrer Domäne. Für den Forscher gebe *es nur ein Sein, aber kein Wünschen und Wollen, kein Gut und Böse, vor allem kein Ziel*[466].

Der Begriff «Relativitätstheorie» führte in den ersten Jahren nach Bekanntwerden dazu, darin den naturwissenschaftlichen Beweis zu sehen, dass alles «relativ» sei, also auch die ethischen Normen. Ein Erzbischof fragte Einstein einmal, welche Bedeutung seine Theorie denn für die Religion habe. Er antwortete: *Überhaupt keine. Die Relativitätstheorie ist eine rein wissenschaftliche Angelegenheit, die nichts mit Religion zu tun hat.*[467] Leuchtet es im Fall der Relativitätstheorie schnell ein, dass die Relativierung von Raum und Zeit wohl kaum etwas über die Relativierung von Werten auszusagen vermag, so hat das gleiche Problem bei einem anderen Beispiel naturwissenschaftlicher Forschung tiefere Dimensionen erlangt: in der Quantentheorie. Hier stellte sich auch Einstein ernsthaft die Frage: Sind die Aussagen einer physikalischen Theorie für den Bereich des Handelns und Wertens relevant? Die indeterministische Naturauffassung der Quantenphysik regte dazu an, sie auf außerphysikalische Phänomene anzuwenden. Max Planck, Werner Heisenberg, Louis de Broglie schrieben Exkurse über die mögliche Anwendbarkeit der komplementären Beschreibung in anderen als physikalischen Disziplinen, wie Biologie, Psychologie oder Ethik.[468]

Bei den ethischen Abhandlungen ging es vor allem Max Born darum, die sittliche Freiheit des Menschen mit seiner – Borns – indeterministischen Naturauffassung in Verbindung zu bringen. Born glaubte zwischen einer Naturauffassung und dem sittlichen Bereich nicht trennen zu können, der «Quantensprung» stelle bildhaft das Problem der sittlichen Freiheit dar. Dass das Elektron aus freien Stücken fortsprang und in seiner Aktualität unabhängig wurde gegenüber dem potenziellen Einfluss des Strahls, symbolisierte für Born den eigentlich freien Akt einer Handlung. Einstein empfand es konträr: *Der Gedanke, daß ein einem Strahl ausge-*

setztes Elektron aus freiem Entschluß den Augenblick und die Richtung wählt, in der es fortspringen will, ist mir unerträglich. Wenn schon, dann möchte ich lieber Schuster oder gar Angestellter in einer Spielbank sein als Physiker![469]

Die Geschichte der Ethik wiederum klärt auf, dass sittliche Freiheit nicht Unbestimmtheit, sondern deren Gegensatz, nämlich Bestimmtheit bedeutet. Weder Platon noch Spinoza noch Kant führen den Begriff der sittlichen Freiheit auf eine Naturauffassung zurück. Sittliche Freiheit wurde bei Platon zur Bestimmtheit durch die reine Ideenschau, bei Spinoza durch ein allgemeines Vernunftgesetz, bei Kant durch den Pflichtbegriff, der Ausdruck der Selbstgesetzlichkeit des Willens ist. Im Prinzip folgte Einstein dieser Überlieferung. Für ihn stammte *das allerletzte Ziel und das Verlangen nach seiner Verwirklichung*[470] aus den *Regionen der christlich-jüdischen Tradition,* die Ausdruck gefunden habe in *den Besten des jüdischen Volkes.*[471] Als die Besten galten ihm Individuen, die allein in der Lage waren, *das Edle und Sublime* zu erschaffen. *Der sittliche Genius, der sich in erleuchteten Persönlichkeiten verkörpert, hat das Vorrecht, ethische Axiome von solcher Weite und Tiefe aufzustellen, daß die Menschen sie als Bestätigung ihrer zahllosen persönlichen Gefühlserlebnisse anerkennen.*[472] Einstein wollte die jüdisch-christliche Tradition ihres anthropomorphen Charakters entkleidet wissen. Es ging ihm nicht um einen wie auch immer gearteten Gott, sondern um Humanität. Er interessierte sich nicht für die überlieferten Glaubenssätze in ihrer transzendenten Form, sondern in ihrer Rückführung auf das Soziale. Frei von allen Vermenschlichungen lag für Einstein das Resümee christlich-jüdischer Tradition in einer moralischen Einstellung im und zum Leben. Durch sie erfahre der Mensch seine Zielsetzung, die darin bestehe, *seine Kräfte froh und freiwillig in den Dienst der Gemeinschaft aller Menschen* zu stellen. Dem anderen zu dienen, denn *nur das Leben im Dienste anderer ist lebenswert,* sei der *sittliche Imperativ,* eine Forderung nach der *Solidarität aller Menschen.*[473] Und er verstand diese sehr konkret: *Ich fühle mich so solidarisch mit allem Lebendigen, daß es mir einerlei ist, wo der Einzelne anfängt und aufhört.*[474] Einsteins Menschenbild kann als sein ethisch-philosophisches Vermächtnis verstanden werden.

Mit seiner Sekretärin Helen Dukas in Princeton, 1940

ZEITKRITIK

Das öffentliche Leben werde beherrscht vom Kult der Leistungsfähigkeit und des Erfolgs[475], und niemand frage nach dem Wert der Dinge und der Menschen in ihrem Verhältnis zu den sittlichen Zielen der Gesellschaft. Die wirtschaftlichen Mittel seien ungleich verteilt, und der rücksichtslose Wirtschaftskampf habe eine *moralische Entwurzelung*[476] zur Folge. Weder der Begriff der Tugend noch der Wahrheit gelte etwas. Die Kunst habe ihre Verankerung in der Gemeinschaft verloren. Das kulturelle Erbe sei durch das Sinken der Werte bedroht und jede *Heiligkeit des Lebens*[477] verloren gegangen. Vor allem finde der Begriff der *Wahrheit um ihrer selbst willen*[478] keine Anhänger mehr. Eine ganze Forschergeneration habe vergessen, dass die Wissenschaft verkümmern müsse, wenn sie nur praktische Ziele im Auge habe. So unentbehrlich und nützlich die Ergebnisse moderner Forschung auch seien, sie dürften nicht den letzten Zweck der Suche nach Wahrheit darstellen. Haben wir, so fragte Einstein, das Beispiel der Großen – Kepler und Newton – vergessen? *Welch ein tiefer Glaube an die Vernunft des Weltenbaues und welche Sehnsucht nach dem Begreifen wenn auch nur eines geringen Abglanzes der in dieser Welt geoffenbarten Vernunft mußte in Kepler und Newton lebendig sein, daß sie den Mechanismus der Himmelsmechanik in der einsamen Arbeit vieler Jahre entwirren konnten!*[479] In Keplers Werk «Mysterium Cosmographicum» unterstrich er die Widmungsworte: «Unser Bildner hat zu den Sinnen den Geist gefügt, nicht bloß, damit sich der Mensch seinen Lebensunterhalt erwerbe, sondern auch dazu, daß wir vom Sein der Dinge, die wir mit unseren Augen betrachten, zu den Ursachen ihres Seins und Werdens vordringen, wenn auch weiter kein Nutzen damit verbunden ist.»[480] Zum Selbst-Wert der Wahrheit, der Schönheit, der Sittlichkeit, das heißt zum Leben selbst zurückzufinden, war für Einstein das aktuelle, brennend wichtige Daseinsthema – nützlicher als jedwede auf Fortschritt ausgerichtete Aktivität. Hoffnung, dies zu erreichen, setzte er in Erziehung und Schule.

Neue Kultur durch Pädagogik

Einsteins *persönliche Erfahrungen und persönliche Überzeugungen*[481] über Erziehung und Schule wirken neben der Wucht seiner theoretischen Physik wie Beiläufiges. Vielleicht wurden deshalb seine reformpädagogischen Ratschläge selten geordnet und thematisiert. Doch warum sollte man in dieser Hinsicht nicht auf ihn hören, hat er doch angesehene Schulfächer mit größtem Erfolg fortgesetzt: Ein halbes Jahrhundert betrieb er Mathematik und Physik, und was das Fach Deutsch betrifft, so formulierte er ein schriftstellerisch anspruchsvolles Œuvre, das nicht selten pädagogische Kernpunkte erörterte. In Fragen der Erziehung genüge *eine einmalige Erkenntnis der Wahrheit nicht; diese muß vielmehr unausgesetzt neu belebt und neu erkämpft werden, wenn sie nicht verlorengehen soll. Sie gleicht einem Standbild aus Marmor, das in der Wüste steht und beständig von wanderndem Sand verschüttet zu werden droht. Immer müssen dienende Hände am Werk sein, damit der Marmor dauernd sichtbar in der Sonne glänze. Zu diesen dienenden Händen sollen auch die meinen gehören.*[482]

Die Idee des Individuums

Einstein ist ein *Spätentwickler* gewesen und hat erst mit zweieinhalb Jahren verständlich sprechen gelernt[483] – doch was nützen Vergleiche mit dem Durchschnitt der Altersgenossen? In jedem Kind läuft eine eigene Uhr, einer der Gründe für Einstein, sich auf das Themengebiet «Individualität» einzulassen. Wir sind nicht *gleich einer Biene oder Ameise*[484], notierte er. Was wäre das für eine *armselige Gemeinschaft*, würde sie sich aus *standardisierten Individuen ohne persönliche Eigenart und persönliche Ziele*[485] zusammensetzen! Man ist an einen Ausspruch von Carl Rogers erinnert, der etwa zeitgleich mit Einstein die Auffassung vertrat: Wenn zwei sich treffen, soll deren Absicht nicht darin liegen, sich zu einigen, sondern zu «zweiigen», indem in gegenseitiger Unterstützung jeder zu seinem Standpunkt, in den besten Zustand seiner selbst gelangt.[486] In seiner Selbsteinschätzung war Einstein, *der Einspänner,* nie *ein willenloses Werkzeug* der Gemeinschaft, nie als *unterwürfiger Untertan*[487] um Anpassung bemüht. Dass er jedoch Individualität zu einem anthropologischen Prinzip erhob, gründete in seiner Weltschau. *Nur das einzelne Individuum kann denken und dadurch für die Gesellschaft neue Werte schaffen, ja selbst neue moralische Normen aufstellen, nach welchen sich das Leben der Gemeinschaft vollzieht. Ohne schöpferische, selbständig denkende und urteilende Persönlichkeiten ist eine Höherentwicklung der Gesellschaft [nicht] denkbar […]. Es ist mit viel Berechtigung gesagt worden, daß die griechisch-europäisch-amerikanische Kultur, im besonderen die Kulturblüte der die Stagnation des Mittelalters in Europa ablösenden italienischen Renaissance, auf der Befreiung und auf der relativen Isolierung des Individuums beruhe.*[488] Das Individuum – im Plural: der bunte Strauß unterschiedlichster Individuen – als das belebende Element einer Gemeinschaft, ihr Glück und ihre Chance. Und es sollte das unverzichtbare Entwicklungsziel eines jeden Menschen sein – zu seinem eigenen Glück –, seine spezielle Individualität zu finden und auszubilden. Aus dieser Auffassung ergeben sich pädagogische Konsequenzen.

Es ist nicht genug, den Menschen ein Spezialfach zu lehren. Dadurch wird er zwar zu einer Art benutzbarer Maschine, aber nicht zu einer vollwertigen Persönlichkeit. Es kommt darauf an, dass er ein lebendiges Gefühl dafür bekommt, was zu erstreben wert ist. Er muß einen lebendigen Sinn dafür bekommen, was schön und was moralisch gut ist. Sonst gleicht er mit seiner spezialisierten Fachkenntnis mehr einem wohlabgerichteten Hund als einem harmonisch entwickelten Geschöpf.

Albert Einstein

Erstens muss eine Lehrerpersönlichkeit ein hohes Maß an *Toleranz*[489] gegenüber der Individualität der Schüler aufweisen. Ihr Eigen-Sein müsse, so Einstein, geachtet, geschützt und gefördert werden. *Denn alles, was wirklich groß und erhebend ist, wird vom Individuum geschaffen in freiem Streben. […] Diese Auffassung führt […] dazu, die Verschiedenheit der Menschen und menschlichen Gruppen nicht nur zu dulden, sondern freudig zu bejahen und als Bereicherung unseres Daseins zu empfinden. Dies ist das Wesen aller wirklichen Toleranz.*[490] Ist eine Lehrerin oder ein Lehrer hierin ein unmissverständliches Vorbild, so lernen auch die Kinder, die Verschiedenheit untereinander zu akzeptieren und zu würdigen.

Zweitens: Eine Unterrichtsplanung kann dementsprechend

nicht davon ausgehen, dass eine Klasse als homogene Gruppe auftritt. Jedes Kind braucht die ihm eigenen Lernbedingungen. Es ist verlorene Zeit, wenn die Lehrperson nur wenige anzusprechen vermag, die Mehrheit aber nicht erreicht.

Drittens: Vonseiten der Lehrerpersönlichkeit benötigt das lernende Kind Vertrauen und Ermutigung. Es darf nicht seelisch verletzt, beschämt oder erniedrigt werden. *Demütigung bzw. geistige Unterdrückung durch verständnislose und egozentrische Lehrer tut schweren, untilgbaren Schaden im kindlichen Gemüte, der gar oft das spätere Leben verhängnisvoll beeinflusst.*[491] Gegenseitiges Zutrauen und Vertrauen seien der kindlichen Entwicklung zuträglich. In diesem Milieu vermöge das lernende Kind einzuüben, selbstverantwortlich und selbständig seine Fähigkeiten zu erproben und weiter zu schulen – es soll ein gesundes Selbstvertrauen verspüren und ein Kompetenzgefühl für seine eigenen Fähigkeiten ausbilden.

Heilige Neugier[492]

Als frischeste Quelle allen Schaffens galt für Einstein die Neugier. Sie arbeite in jedem gesunden Kind und drücke sich aus als *liebevolles Interesse am Gegenstand oder einem Bedürfnis nach Wahrheit und Verstehen*[493]. Es sei die stärkste psychische Kraft, ohne die er, Einstein, sein Werk nicht hätte schaffen können.[494] Induziert wird diese Neugier durch das Staunen, das Sich-Wundern, durch jenes «mirari», das schon Platon leidenschaftlich beschrieb. Das Staunen stehe an der *Wiege aller Wissenschaft und Kunst*[495]. Staunen bringe hervor, was den Anschein des Gewöhnlichen habe, aber doch die Genesis aller kulturellen Erzeugungen einleite: eine Frage. Ob aufnehmend oder aktiv gestaltend – das Verstehenwollen, das Begreifenwollen einer Frage, das Ausdrückenwollen durchflute nicht nur wissenschaftliche und künstlerische Profession, sondern im Idealfall auch den schulischen Alltag. Wenn die Neugierde erlischt, ist ein Mensch *sozusagen tot*[496]. Darum müsse die Schule das *delikate Pflänzchen*[497] der Neugier der ihr anvertrauten Kinder schützen, pflegen und ihren Bildungsgang daraus ableiten. Dann werde von dem jungen Menschen Schule *als eine Art Geschenk* aufgefasst. *Ich habe Kinder kennengelernt, welche die Schulzeit den Ferien vorgezogen haben.*[498] *Ich glaube […] allen Ernstes, daß man den Menschen am besten dient, indem man sie mit einer edlen Sache beschäftigt und dadurch indirekt durch das Streben nach dem Verstehen, durch produktive und rezeptive geistige Arbeit veredelt.*[499]

Falsche Motive

Wird in einer Schulklasse im Fach Mathematik eine Klausur geschrieben, so mögen die meisten Arbeiten bei Beachtung vorgeschriebener Rechenregeln ein richtiges Ergebnis aufweisen, alle nach diesen Regeln erfolgreich gelösten Arbeiten erhalten folglich die gleiche sehr gute Zensur – und doch unterscheidet sie etwas für Einstein Grundsätzliches: die verschiedenen Arten der Motivation, sich mit dieser Sache zu befassen. *Hinter jeder Leistung steht das Gefühlsmotiv, welches jener Leistung zugrunde liegt und welches umgekehrt durch das Vollbringen der Leistung gestärkt und genährt wird. Hier gibt es die größten Unterschiede, und sie sind für den erzieherischen Wert der Schulung von höchster Bedeutung.*[500]

Schüler mögen sich anstrengen, um *Erfolg* zu erzielen, und für ihr Können Belohnung erwarten. Die Lehrpersonen sollten sich aber davor hüten, den *Erfolg [...] als Lebensziel zu predigen. Denn ein erfolgreicher Mensch ist in den meisten Fällen ein solcher, der von den Nebenmenschen viel empfängt, meist unvergleichlich mehr als seiner Leistung für die Nebenmenschen entspricht.*[501] Andere wiederum gäben sich aus Angst vor dem Versagen und vor Strafen Mühe, den Anforderungen zu genügen, zudem mögen Ehrgeizige zu finden sein, die in ihrem Bedürfnis nach Geltung und Auszeichnung andere übertrumpfen möchten. Auch bei dieser Gruppe müsse der Lehrende wachsam sein: Es sei ein *bequemes Mittel*, den *Ehrgeiz* zu erregen, um die Schüler zu *emsigem Streben* anzutreiben. Es sei jedoch *abwegig*, die *Erweckung des Konkurrenzgeistes* mit der Theorie des Daseinskampfes oder mit dem *anarchischen System der Konkurrenz in der Wirtschaft* zu legitimieren, denn der Mensch verdanke seine *Stärke im Daseinskampf* der Qualität, ein soziales Wesen zu sein. *Das Streben aber, als besser, stärker oder klüger anerkannt zu werden als der Mitmensch oder Mitschüler, führt leicht zu einer übertriebenen egoistischen seelischen Einstellung, die für das Individuum und für die Gesellschaft verderblich werden kann.*[502]

All diesen Formen des Motiviertseins war ein Problem gemeinsam: Das Fach – etwa die Mathematik – wurde nicht um sei-

Preisgekröntes Foto von Arthur Sasse, der nach einem Lunch in Princeton zu Ehren von Einsteins 72. Geburtstag gerufen hatte: «Bitte lächeln.» Einstein erbat mehrere Abzüge! Neben dem Jubilar: Mrs. und Mr. Frank Aydelotte

ner selbst willen betrieben. Für Einstein war es ein tragender Pfeiler seiner Pädagogik, eine Sache um ihrer selbst willen zu tun. Er konnte bei dem Philosophen-Freund Schopenhauer nachlesen: «Nur der aber wird eine Sache mit ganzem Ernst treiben, dem unmittelbar an ihr gelegen ist und der sich aus Liebe zu ihr damit beschäftigt. [...] Von solchen, und nicht von den Lohndienern, ist stets das Größte ausgegangen.»[503]

Freiheit

Zwang in jeder Form, Gewalt in jedem Ausmaß erstickt die Entfaltung eines Selbst, erstickt die Neugier, eigenständiges Denken, Selbstvertrauen, Aufrichtigkeit, ja jedes *gesunde Lebensgefühl*[504]. Einstein hasste jede Art von Repression und verwarf die aus ihr folgende Angst als möglichen Motor menschlichen Tuns und Lassens. *Es gibt kein so hohes Ziel, daß in meinen Augen seine Verwirk-*

lichung durch unwürdige Methoden gerechtfertigt wäre. Gewalt mag […] Hindernisse rasch aus dem Wege geräumt haben; als schöpferisch aber hat sie sich niemals erwiesen.[505] Der Gegenbegriff, den Einstein wie eine Losung hegte, heißt Freiheit. Die Freiheit zählte ihm zu den *höchsten Gütern der europäischen Geistesentwicklung*[506]. Jedes Kind, jeder Erwachsene müsse frei sein in seinem Denken, Fühlen und Handeln. Jeder solle ungestraft seine Meinung äußern können. Und Freiheit sei der integrierende Nährboden, in dem alles Schöpferische gedeihen könne. Freiheit hat hier einen doppelten Sinn: als negative Freiheit, die danach strebt, von etwas frei zu sein, wie als positive Freiheit für etwas, aus der heraus geistige Werte geformt werden. Ohne ihre je individuelle innere und äußere Freiheit würden es Individuen wie Shakespeare, Goethe, Newton, Faraday, Pasteur nicht erreicht haben, die Menschheit zu bereichern. *Denn nur der freie Mensch schafft jene Erfindungen und geistigen Werte, die uns modernen Menschen das Leben lebenswert erscheinen lassen.*[507] Freiheit, wie Einstein sie verstand, führt keineswegs dazu, dass ein Individuum in purer Beliebigkeit verwildert oder verwahrlost, vielmehr lässt sie das Gute herauswachsen, sowohl für jeden einzelnen Menschen als auch für die Gemeinschaft.[508]

Rationalität und Emotionalität

Fühlen und Sehnen sind der Motor allen menschlichen Strebens und Erzeugens.[509] Logisches Denken nimmt im Spektrum menschlichen Seins also nur einen schmalen Platz ein. Einen weit größeren Raum erfüllen Gefühle – Freude, Hoffnung, Sehnsucht, Angst … –, ein emotionales Kontingent, das die Pädagogik nicht ignorieren kann, weil es substanziell zum Lernen zählt. Ein Fachlehrer der Naturwissenschaften würde keine fruchtbare pädagogische Arbeit leisten, nähme er – aus der Ganzheit des Begreifens und Lernens – positivistisch verkürzt sein Gebiet heraus. Begeisterung, Freude, Lust am Denken sollten auch im Unterricht nicht nachgeordnet werden.

Gerd Binnig, der Nobelpreisträger für Physik 1986, erinnert sich ganz im Einstein'schen Sinne an seine eigene Schulzeit: «Auch das Lernen begann Spaß zu machen. […] Im Prinzip sollten wir ja nicht lernen, nur um das Wissen zu besitzen, sondern um etwas damit anzufangen. […] Dies ist kindliches Lernen. Es ist Lernen aus Neugierde, Lernen durch Ausprobieren, durch Selbermachen. Es ist für mich die einzig sinnvolle Form von Lernen. In der Natur ist Lernen ja offensichtlich auch so angelegt, nur haben wir es noch nicht begriffen.»[510]

Wichtigste Aufgabe schulischer Erziehung ist es für Einstein, *die Freude an der Arbeit* zu wecken und den Wert des Arbeitsergebnisses für die Gemeinschaft ins allgemeine Bewusstsein zu bringen. *Eine solche psychische Grundlage allein führt zum freudigen Streben nach den höchsten Gütern des Menschen: Erkenntnis und künstlerische Gestaltung.*[511]

Produktives Denken

Von Ernst Mach hat Einstein gelernt, dass sich das alltägliche Denken kontinuierlich ohne qualitativen Sprung ins wissenschaftliche Denken fortsetzt.[512] Was er pädagogisch will, soll auf allen Stufen kognitiver Arbeit gelten. Einstein hatte diese und andere, mit dem Erkenntnisvermögen zusammenhängende Ansichten in seiner Berliner Zeit mit dem Psychologen Max Wertheimer ausgiebig diskutiert (und durch diese Gespräche angeregt verfasste Wertheimer ein erkenntnisreiches Buch zum «Produktiven Denken»).[513] Die beiden Forscher stellten sich die Entwicklung kognitiver Fähigkeiten spiralartig vor. Wenn sich ein Kind etwa mit der Frage beschäftigte, warum der Mond mal klein und mal groß erscheine, so mochte eine erste Antwort lauten: Weil er mal viel und mal wenig gegessen hat. In der Folgezeit werde das neugierige Kind mit zunehmendem kosmologischem Wissen eine andere Antwort wählen – ob eine Antwort richtig oder falsch ist, stellt sich in diesem Kontext nicht. Vielmehr geht es darum, dass das Kind im Spiel von Frage und Antwort selbst ein stimmiges Bild zu entwerfen vermag und dadurch in seinem Selbstbewusstsein gestärkt wird, eigenständig weiterzudenken. Dieses Denken sei mit Emotionen dicht verwoben, so Einstein. Ursprünglich seien Gefühle an die Erfüllung – beziehungsweise Nichterfüllung – von Wünschen gekoppelt. Von positiven Gefühlen erhofften wir uns Dauerhaftigkeit, negative Gefühle würden uns in dem Bestreben bewusst, alle Formen des Schmerzes zu vermeiden. Beide Erlebnistendenzen ließen sich durch Vorstellungen, durch Phantasie und eben durch Gedanken gleichsam verdoppeln – die Gedankenebene werde nun emotional mitversorgt. Ein Gedanke allein könne deshalb Freude bereiten, seelische Spannungen erzeugen oder auch Gefühle der Verzweiflung hervorrufen. Glückliches und Unglückliches komme so ins Denken.[514] Für Wertheimer und Einstein wird diese Äquivalenz von Kognition und Emotion ausschlaggebend: Denken heißt, kognitiv eine Anzahl von Elementen (theoretische Sätze oder empirische Daten) bei emotionaler Anspannung so lange neu zu ordnen, zu gruppieren, zu kombinieren, zu zentrieren, bis ein klareres, prägnanteres Bild entstanden ist, dessen Vollendung Freude hervorruft. Gefühle begleiten jedoch nicht nur denkerische Tätigkeit, sie weisen dem logischen Fortgang selbst seine Richtung. Einstein sprach in diesem Zusammenhang vom *Richtungsgefühl* oder von Intuition, denn die Logik selber sei blind. *Das Abwägen von Argumenten in theoretischen Dingen bleibt [...] Sache der Intuition.*[515] Am Beispiel der Entstehung der Relativitätstheorie konnten die beiden Forscher ihre Denktheorie bestätigt sehen. Pädagogisch bedeutsam sind diese Einsichten, weil sie den Lernenden als ganzen Menschen, kognitiv und emotional, fordern.

Tradition

Der Schule kommt nach Einstein die Aufgabe zu, das bisher Gewordene zu vermitteln. Niemand ist der Erste und muss ganz von vorn beginnen. Auch wenn er eine neue Kette von Erscheinungen zu schmieden sich vornähme (Schiller), die Tradition hat ihm vorgearbeitet. Einstein sah das geschaffene Werk vergangener Kulturen als ein Geschenk für die Gegenwart an, das im Klassenzimmer ausgebreitet werden müsse. Doch hierbei ist Vorsicht geboten. Stofffülle kann als schwerer Ballast das eigene produktive Nachdenken ersticken. Schule habe nicht die Aufgabe, ein *möglichst großes Quantum von Wissen auf die heranwachsende Generation zu übertragen. [...] Wissen ist tot.*[516] Es bedürfe einer klugen Pädagogik, das *Fundamental-Wichtige, Grundlegende*[517] herauszustellen, um es von der mehr oder weniger entbehrlichen Gelehrsamkeit zu sondern – es gilt, aus der Fülle des Wissens das herauszunehmen, was das eigene Nachdenken der Schüler anzuregen und zu fördern vermag.

Albert Einstein an seinem 70. Geburtstag mit Kindern,
14. März 1949

Gemeinschaft

Charakterstärke, die sich in einem sozialen Verhalten zeigt, und intellektuelle Leistungen sind für Einstein nicht voneinander zu trennen.[518] So wird verständlich, warum soziales Lernen für ihn eine der vornehmsten Aufgaben der Erziehung darstellt. Es soll der Schule darum gehen, jene Qualitäten und Fähigkeiten zur Entwicklung zu bringen, welche für das Gedeihen der Gemeinschaft von Wert sind. *Der Wert eines Menschen soll [...] in dem gesehen werden, was er gibt, und nicht in dem, was er zu nehmen imstande war oder ist.*[519] Durch Einsicht und Erfahrung kann vermittelt werden, dass wir auf die Leistungen früherer Generationen wie auf die der Zeitgenossen angewiesen sind. Wir essen Brot, das durch vieler Hände Arbeit entstanden ist. Einstein sah ein weit gespanntes Netz: Jeder Knoten stellt einen tätigen Menschen dar, durch seine Arbeit mit anderen verbunden. Das Kind soll seinen eigenen Anschluss an jenes Netz zu knüpfen suchen. Es muss erfahren können, dass es nicht nur Freude bereitet anzunehmen, was geboten wird, sondern auch die eigenen Beiträge weiterzugeben. Genau hier wurzelt ein Keim, der zum Lebenssinn wächst. Jeder muss seinen individuellen Beitrag suchen und finden, keiner soll höher bewertet werden – eine beseelte Vielfalt verleihe der Gemeinschaft Lebendigkeit.

A. Einstein

Anmerkungen

SIGLEN

Bo Albert Einstein, Hedwig und Max Born. Briefwechsel 1916 bis 1955. München 1969
C Ronald W. Clark: Albert Einstein. Leben und Werk. Esslingen 1974
Fr Philipp Frank: Einstein. Sein Leben und seine Zeit. München, Leipzig, Freiburg i. Br. 1949
H Armin Hermann: Einstein. Der Weltweise und sein Jahrhundert. Eine Biographie. München, Zürich [3]2004
He Helle Zeit – Dunkle Zeit. In memoriam Albert Einstein. Hg. von Carl Seelig. Zürich, Stuttgart, Wien 1956
Hof Banesh Hoffmann: Albert Einstein. Schöpfer und Rebell. Frankfurt a. M. 1978
Sch Albert Einstein als Philosoph und Naturforscher. Hg. von Paul Arthur Schilpp. Stuttgart 1951
Se Carl Seelig: Albert Einstein. Eine dokumentarische Biographie. Zürich, Stuttgart, Wien 1954
Solo Albert Einstein: Briefe an Maurice Solovine. Faksimile-Wiedergabe von Briefen aus den Jahren 1906 bis 1955. Paris 1956
Sp Albert Einstein: Aus meinen späten Jahren. Zürich 1952 (enthält größtenteils deutsche Originaltexte)
Sp* Albert Einstein: Aus meinen späten Jahren. Stuttgart 1979 (enthält aus dem Amerikanischen rückübersetzte Texte)
We Albert Einstein: Mein Weltbild. Hg. von Carl Seelig. Frankfurt a. M. 1968

1 Sp*, S. 207
2 We, S. 24
3 Ebd., S. 8
4 Max Flückinger: Albert Einstein in Bern. Bern 1961, S. 14
5 H, S. 71
6 Ebd.
7 Vgl. ebd., S. 70
8 Hof, S. 23
9 H, S. 89
10 Ebd., S. 76
11 Ebd., S. 90
12 Ebd., S. 81
13 Sch, S. 1
14 H, S. 98
15 Sch, S. 6 f.
16 H, S. 83
17 Vgl. ebd., S. 77
18 He, S. 9
19 Ebd.
20 Se, S. 23
21 Vgl. H, S. 97
22 He, S. 9 f.
23 Se, S. 47
24 He, S. 11
25 Se, S. 36
26 Ebd., S. 35
27 Hermann Minkowski wurde 1882 der große Mathematikpreis von Paris zuerkannt. Professor in Königsberg, 1896 bis 1901 Ordinarius und Lehrer Einsteins an der ETH Zürich; ab 1901 Professor in Göttingen. Minkowski schuf die mathematischen Grundlagen der Speziellen Relativitätstheorie (Raum-Zeit-Kontinuum); 1907: Grundgleichungen für die elektromagnetischen Vorgänge in bewegten Körpern; 1908: Raum und Zeit. Vortrag vor der Gesellschaft deutscher Naturforscher und Ärzte.
28 Se, S. 33
29 He, S. 10
30 Marcel Großmann, bester Studienfreund Einsteins; Assistent an der ETH Zürich, dann Professor für Mathematik; zusammen mit Einstein arbeitete er am mathematischen Ausbau der Allgemeinen Relativitätstheorie: 1913 gemeinsame Veröffentlichung (Vierteljahresschrift der Naturforschenden Gesellschaft).
31 He, S. 11 f.
32 Louis Kollros, gemeinsames Stu-

dium mit Einstein an der ETH Zürich; begabter Mathematiker: Assistent bei Prof. Hurwitz, dann Professor für Geometrie und Mathematik an der ETH. Vgl. Louis Kollros: Erinnerungen eines Kommilitonen. In: He, S. 17–31

33 Jakob Ehrat, Studium an der ETH Zürich zusammen mit Einstein. Lehrer in deutschen Landerziehungsheimen; Assistent beim ehemaligen Studienkollegen Prof. Marcel Großmann; Professor für Mathematik an der Kantonsschule in Winterthur.

34 Alfred Stern, Professor für Rhetorik an der ETH Zürich; Verfasser einer zehnbändigen Geschichte Europas, außerdem an physikalischen Problemen interessiert (Stern hörte Helmholtz und Kirchhoff); insbesondere während der Studienzeit in Zürich war Einstein oft zu Gast bei Professor Stern (gemeinsames Musizieren); später Briefwechsel.

35 Se, S. 58 f.

36 Conrad Habicht, ein guter Freund Einsteins; Mitglied der «Akademie Olympia»; Lehrer für Mathematik und Physik in Schiers (Kanton Graubünden).

37 Se, S. 61

38 Joachim Fernau: Die Genies der Deutschen. Düsseldorf 1968, S. 192

39 He, S. 9

40 Ebd., S. 12

41 Se, S. 64

42 H, S. 10

43 Ebd., S. 12

44 Se, S. 53

45 H, S. 101

46 Ebd. S. 11

47 Ebd.

48 We, S. 12

49 H, S. 207

50 Ebd.

51 Ebd., S. 208

52 Ebd., S. 14

53 Ebd., S. 53

54 Hof, S. 298

55 Vgl. Johannes Wickert: Lachen und Weinen. RadioART: Essay. SWR. Kulturelles Wort. Baden-Baden 2003

56 Solo, S. VI

57 Ebd.

58 Ebd.

59 Ebd., S. VII

60 Ebd., S. VIII

61 Ebd.

62 Ebd., S. 90

63 Ebd., S. 124

64 Ebd., S. 48

65 Bo, S. 25 f.

66 Se, S. 96

67 Sch, S. 505

68 Hans Saner: Karl Jaspers. Reinbek 1970 (rowohlts monographien 169), S. 46

69 Solo, S. 90

70 Se, S. 163

71 Vgl. Johannes Wickert: Zum produktiven Denken bei Einstein. Ein Beitrag zur Erkenntnispsychologie. In: Einstein-Symposion Berlin aus Anlaß der 100. Wiederkehr seines Geburtstages. Hg. von H. Nelkowski, A. Hermann, H. Poser, R. Schrader und R. Seiler. Lecture Notes in Physics. Vol. 100. Berlin, Heidelberg, New York 1979, S. 455 f.

72 Sch, S. 208

73 H, S. 527

74 Ebd., S. 357

75 Hof, S. 181

76 H, S. 341

77 Se, S. 18

78 Ebd.

79 Ebd., S. 43

80 Ebd.

81 H, S. 45

82 Hof, S. 192

83 Ebd., S. 288

84 H, S. 491

85 Ebd., S. 342

86 Ebd., S. 172

87 Ebd., S. 342

88 Hof, S. 206

89 We, S. 108

90 H, S. 297

91 Ebd.

92 Sp*, S. 232

93 Se, S. 134
94 Ebd.
95 H, S. 388
96 Ebd., S. 340
97 Se, S. 135
98 Ebd., S. 136
99 Sp, S. 223
100 Vgl. Sch, S. 1–35
101 Ebd., S. 3
102 Ebd.
103 We, S. 9f.
104 Se, S. 84
105 Sch, S. 5
106 Friedrich Herneck: Albert Einstein. Ein Leben für Wahrheit, Menschlichkeit und Frieden. Berlin 1963, S. 34f.
107 Sch, S. 1
108 Ebd.
109 Ebd., S. 5
110 Ebd.
111 Ebd., S. 6
112 Adolf Fisch war Professor an der ETH Zürich und hatte gemeinsam mit Einstein die Aarauer Kantonsschule besucht.
113 Se, S. 34
114 Vgl. Karl von Meyenn: Einsteins Dialog mit den Kollegen. In: Einstein Symposion Berlin. A. a. O., S. 464–489
115 We, S. 132
116 Sch, S. 12
117 We, S. 159; vgl. ebd., S. 151
118 Ebd.
119 Vgl. Heinrich Hertz. Gedenkfeier der Freien und Hansestadt Hamburg am 24. Februar 1954. Hamburg 1957
120 Vgl. Sch, S. 10f.
121 Se, S. 13
122 Leopold Infeld: Albert Einstein – seine Persönlichkeit, sein Werk und seine Zeit. In: Universitas. Jg. 23, H. 5 (1968), S. 461
123 Fr, S. 459
124 Se, S. 169f.
125 Vgl. Sch, S. 6
126 Galileo Galilei: Dialog über die beiden hauptsächlichen Weltsysteme, das ptolemäische und das kopernikanische. Leipzig 1891, S. 59
127 Vgl. Bo, S. 3
128 Ebd.
129 Vgl. Sch, S. 504f.
130 Ebd., S. 6
131 Ebd.
132 Se, S. 124
133 Solo, S. 48
134 Se, S. 83
135 Sch, S. 40
136 Se, S. 84
137 Vgl. Johannes Kepler: Weltharmonik. München, Berlin 1939
138 Vgl. Leonhard Euler: Réflexions sur l'espace et le temps. Berlin 1748
139 Vgl. Henri Poincaré: Wissenschaft und Hypothese. Leipzig 1914
140 Vgl. Bertrand Russell: Physik und Erfahrung. Zürich 1948
141 Vgl. Max Planck: Sinn und Grenzen der exakten Wissenschaft. Leipzig 1947
142 Albert Einstein: Ernst Mach. In: Physikalische Zeitschrift. Nr. 7, 17. Jg., Berlin, Göttingen, Heidelberg 1916, S. 101
143 Ebd.
144 Sch, S. 5
145 Albert Einstein: Ernst Mach. A. a. O.
146 Ebd.
147 Ebd.
148 Ebd.
149 Sch, S. 507
150 Ebd.
151 Ebd.
152 Ebd., S. 508
153 Ebd.
154 Vgl. We, S. 35f., 107f., 171f.; Sp, S. 25f., 63f., 122f.
155 Sp, S. 29
156 Ebd. S. 63
157 Ebd.
158 Sch, S. 2f.
159 Sp, S. 120
160 Ebd.
161 We, S. 120
162 Solo, S. 120
163 Vgl. Sch, S. 4 und Sp, S. 103
164 Sch, S. 4

165 Ebd.
166 Ebd., S. 504
167 Ebd.
168 Ebd., S. 5
169 Ebd., S. 8 f. und Sp, S. 67
170 We, S. 171 f.
171 Sp, S. 67
172 Ebd.
173 We, S. 144
174 Ebd.
175 Vgl. ebd., S. 116 f.
176 Vgl. Max Planck: Acht Vorlesungen über Theoretische Physik. Leipzig 1909, S. 117
177 Se, S. 90
178 Ebd., S. 107
179 Leopold Infeld. A. a. O., S. 463
180 Se, S. 82
181 Ebd., S. 163
182 Sch, S. 20
183 We, S. 128
184 Ebd., S. 129
185 Ebd.
186 Sch, S. 7
187 Isaac Newton: Mathematische Prinzipien der Naturlehre. Darmstadt 1963, S. 25
188 Ebd.
189 Vgl. Ernst Mach: Die Mechanik. Historisch-kritisch dargestellt. Darmstadt 1963, S. 217
190 Ebd.
191 Albert Einstein: Ernst Mach. A. a. O., S. 103
192 Max Born: Die Relativitätstheorie Einsteins. Berlin, Göttingen, Heidelberg 1964, S. 189
193 Ebd., S. 191
194 Hermann Minkowski: Die Grundgleichungen für die elektromagnetischen Vorgänge in bewegten Körpern. In: Nachrichten der Königlichen Gesellschaft zu Göttingen. 1908, S. 54
195 Sch, S. 20
196 Vgl. Max Born. A. a. O., S. 194 f.
197 Vgl. Albert Einstein: Über die Spezielle und Allgemeine Relativitätstheorie. Braunschweig 1920, S. 16 f.
198 Albert Einstein: Vier Vorlesungen über Relativitätstheorie. Braunschweig 1922, S. 19
199 Vgl. Albert Einstein, Leopold Infeld: Die Evolution der Physik. Wien 1950, S. 219
200 Ebd., S. 226 f.
201 Max Born. A. a. O., S. 219
202 Albert Einstein: Über die Spezielle und Allgemeine Relativitätstheorie. A. a. O., S. 37
203 Hermann Minkowski: Raum und Zeit. Gesammelte Abhandlungen von H. Minkowski. Leipzig, Berlin 1911. Bd. II, S. 431
204 Albert Einstein: Über die Spezielle und Allgemeine Relativitätstheorie. A. a. O., S. 38
205 Se, S. 85
206 Ebd., S. 87 f.
207 Ebd., S. 89
208 Ebd., S. 90
209 Ebd., S. 92 f.
210 Ebd., S. 77
211 Ebd., S. 100
212 Friedrich Herneck. A. a. O., S. 31
213 Sch, S. 18
214 H, S. 130
215 Stephen W. Hawking: Eine kurze Geschichte der Zeit. Die Suche nach der Urkraft des Universums. Reinbek 1991, S. 79
216 H, S. 43
217 Ebd.
218 Friedrich Herneck. A. a. O., S. 32
219 H, S. 424 f.
220 Stephen W. Hawking. A. a. O., S. 77 f.
221 H, S. 310
222 Hof, S. 227
223 We, S. 158
224 Sch, S. 494
225 Ebd.
226 Vgl. ebd.
227 Vgl. Max Jammer: Albert Einstein und das Quantenproblem. In: Einstein-Symposion Berlin. A. a. O., S. 146 f.
228 Solo, S. 74
229 Vgl. Max Born: Physik im Wandel meiner Zeit. Braunschweig 1958, S. 111

230 Sp, S. 33
231 Ebd.
232 Se, S. 106
233 Ebd.
234 Ebd., S. 108
235 Ebd., S. 117
236 Ebd., S. 138
237 Ebd.
238 He, S. 36
239 Se, S. 116
240 Ebd., S. 106
241 Ebd., S. 117
242 Ebd., S. 137
243 Ebd., S. 138
244 Ebd., S. 119 f.
245 Ebd.
246 Ebd., S. 121 f.
247 Ebd.
248 Ebd.
249 Ebd.
250 Ebd., S. 123
251 Ebd.
252 Fr, S. 147
253 Ebd.
254 Ebd.
255 Ebd., S. 148
256 Einstein – anekdotisch. Hg. von Steffi und Armin Hermann. München 1970, S. 98
257 H, S. 173
258 Ebd.
259 Fr, S. 146
260 Ebd.
261 Ebd.
262 Se, S. 144
263 H, S. 177
264 Fr, S. 152
265 Sp, S. 11
266 Se, S. 164
267 Abhandlungen der Preußischen Akademie der Wissenschaften. Mathematisch-physikalische Klasse. Sitzungsberichte. Berlin 1913, S. 987
268 Se, S. 177
269 Ebd., S. 182
270 Fr, S. 190
271 Ebd.
272 Ebd.
273 Ebd., S. 193
274 Ebd., S. 197
275 Ebd., S. 199
276 Se, S. 82. Vgl. Albert Einstein: Die Grundlagen der Allgemeinen Relativitätstheorie. In: Annalen der Physik. Bd. XLIX. Leipzig 1916, S. 769–822
277 Vgl. Leopold Infeld. A. a. O., S. 461
278 We, S. 130
279 Vgl. Sch, S. 25 f.
280 We, S. 136
281 Ebd.
282 He, S. 13
283 Ebd., S. 27
284 Ebd., S. 15 f.
285 Se, S. 171
286 Albert Einstein und Arnold Sommerfeld. Briefwechsel. Sechzig Briefe aus dem goldenen Zeitalter der modernen Physik. Hg. und kommentiert von Armin Hermann. Basel, Stuttgart 1968, S. 32
287 Vgl. We, S. 127, 134 f.
288 Vgl. H, S. 213 f.
289 Vgl. Fr, S. 237 f.
290 Se, S. 194
291 Ebd.
292 Ebd., S. 193
293 Fr, S. 238
294 Ebd.
295 Ebd.
296 Fr, S. 219
297 Brief von Margot Einstein an Johannes Wickert, 5. Sept. 1972
298 H, S. 325
299 Ebd., S. 52
300 Ebd., S. 326
301 Ebd.
302 H, S. 435
303 Ebd., S. 13
304 Vgl. ebd., S. 327
305 Vgl. Armin Hermann: Einstein und die Frauen. In: Albert Einstein / Mileva Marić. Am Sonntag küss' ich Dich mündlich. Die Liebesbriefe 1897 bis 1903. Hg. und eingeleitet von Jürgen Renn und Robert Schulmann. München, Zürich 1994
306 H, S. 322
307 Ebd., S. 328

308 Ebd., S. 12
309 Ebd., S. 351
310 Ebd., S. 355
311 Ebd.
312 Ebd., S. 337
313 Ebd., S. 328
314 Ebd.
315 Bo, S. 48
316 Ebd., S. 50
317 Hof, S. 159
318 H, S. 323
319 Ebd.
320 Ebd., S. 320
321 Ebd., S. 323
322 We, S. 104
323 Fr, S. 249
324 H, S. 242
325 Friedrich Herneck. A. a. O., S. 165
326 Vgl. Andreas Kleinert, Charlotte Schönbeck: Lenard und Einstein. Ihr Briefwechsel und ihr Verhältnis vor der Nauheimer Diskussion von 1920. In: Gesnerus. Bd. 35. 1978, S. 318f.
327 Se, S. 214
328 Fr, S. 143
329 Ebd., S. 285
330 Ebd., S. 290
331 Ebd., S. 295
332 Solo, S. 44
333 Fr, S. 314
334 We, S. 82
335 Ebd., S. 83
336 Ebd.
337 Ebd.
338 Ebd., S. 86
339 Vgl. H, S. 357f.
340 Hof, S. 280
341 Ebd., S. 302
342 H, S. 430
343 Ebd., S. 422
344 Ebd., S. 432
345 Bo, S. 178
346 Fr, S. 463
347 Hof, S. 284
348 C, S. 376
349 H, S. 265
350 Fr, S. 463
351 H, S. 420
352 Leopold Infeld: Leben mit Einstein. Wien, Frankfurt a. M., Zürich 1969, S. 53
353 Ebd., S. 81
354 Hof, S. 273
355 Vgl. H, S. 421
356 C, S. 175
357 H, S. 372
358 Ebd., S. 371
359 Ebd.
360 Se, S. 46
361 H, S. 515
362 Vgl. H, S. 493, 515
363 Ebd., S. 515
364 We, S. 22f.
365 Vgl. H, S. 518
366 Ebd., S. 529
367 H, S. 422
368 C, S. 428
369 Vgl. Hof, S. 274f.
370 H, S. 442
371 Ebd., S. 477
372 Ebd., S. 475f.
373 Se, S. 232
374 Ebd., S. 232f.
375 Ebd.
376 H, S. 487
377 He, S. 95
378 Ebd., S. 105
379 Ebd., S. 130f.
380 Ebd., S. 143
381 H, S. 473
382 Ebd., S. 467, 513. Dieses eingreifende biographische Ereignis verlange, so Armin Hermann, eine differenziertere Auslegung. «In diesem berühmten Brief [...] habe Einstein, so liest man häufig, die Entwicklung der Atombombe empfohlen. Das ist nicht richtig.» Er habe geraten, die belgischen Uranvorräte vor den Deutschen in Sicherheit zu bringen und ein groß angelegtes Forschungsvorhaben zur technischen Nutzung der Kernenergie in Gang zu bringen, «um nicht eines Tages von den Deutschen unliebsam überrascht zu werden» (H, S. 455).
383 Wichtige Anregungen zu diesem Abschnitt verdanke ich Prof. Dr. Friedrich W. Hehl, Institut für

Theoretische Physik, Universität zu Köln.
384 Se, S. 82 f.
385 Ebd., S. 186
386 H, S. 469
387 Ebd., S. 464
388 Wie nachdrücklich Einstein eine Einheitliche Feldtheorie bis zu seinem Tod verfolgte, lässt sich an den Titeln seiner entsprechenden Arbeiten ablesen: «Zur affinen Feldtheorie» (1923), «Einheitliche Feldtheorie von Gravitation und Elektrizität» (1925), «Zu Kaluzas Theorie des Zusammenhangs von Gravitation und Elektrizität. 1. und 2. Mitteilung» (1927), «Neue Möglichkeit für eine einheitliche Feldtheorie von Gravitation und Elektrizität» (1928), «Riemann-Geometrie mit Aufrechterhaltung des Begriffs des Fernparallelismus» (1928), «Auf die Riemann-Metrik und den Fernparallelismus gegründete einheitliche Feldtheorie» (1930), «Einheitliche Theorie von Gravitation und Elektrizität» (1931, mit W. Mayer), «On a generalization of Kaluza's theory of electricity» (1938, mit P. Bergmann), «Five-dimensional representation of gravitation and electricity» (1941, mit V. Bargmann und P. Bergmann), «A Generalization of the Relativistic Theory of Gravitation I and II» (1945 / 1946, mit E. G. Straus), «A Generalized Theory of Gravitation» (1948), «Algebraic Properties of the Field in the Relativistic Theory of the Asymmetric Field» (1954, mit B. Kaufmann), «A New Form of the General Relativistic Field Equations» (1955, mit B. Kaufmann).
389 Walther Mayer, Peter Bergmann, Valentine Bargmann, Ernst Straus, Bruria Kaufmann
390 Se, S. 251
391 Solo, S. 88
392 Vgl. Sch, S. 5
393 E-Mail von Friedrich W. Hehl an Johannes Wickert, 5. Mai 2004. Vgl. die in dieser Nachricht erwähnte Arbeit von Weinberg: Steven Weinberg: Dreams of a Final Theory. New York 1994
394 Hof, S. 262
395 Ebd., S. 269
396 H, S. 490
397 Hof, S. 269
398 Ebd.
399 H, S. 471
400 Ebd., S. 426
401 C, S. 390
402 H, S. 546
403 Ebd. S. 542
404 Ebd., S. 508
405 Ebd., S. 505
406 Se, S. 288
407 He, S. 86
408 Sch, S. 37
409 Albert Einstein und Arnold Sommerfeld. Briefwechsel. A. a. O., S. 97
410 Bo, S. 212
411 We, S. 91
412 Ebd., S. 98
413 Ebd., S. 92
414 Ebd., S. 93
415 Ebd., S. 90
416 Ebd.
417 Ebd., S. 99
418 Ebd., S. 98
419 Ebd., S. 97
420 Ebd., S. 102
421 Ebd.
422 Fr, S. 21
423 We, S. 9
424 Ebd., S. 54
425 Ebd., S. 49
426 Ebd., S. 10
427 Ebd., S. 11
428 Ebd., S. 49
429 Ebd.
430 Ebd., S. 55
431 Ebd., S. 47
432 Ebd., S. 51
433 Ebd.
434 Ebd., S. 187
435 Sp, S. 154
436 Ebd., S. 159
437 Ebd.
438 We, S. 19

439 Ebd.
440 Sp, S. 161
441 Ebd., S. 148
442 Ebd., S. 149
443 Ebd., S. 163
444 Ebd., S. 182
445 Ebd., S. 153
446 Sch, S. 1
447 Ebd. S. 2
448 He, S. 39
449 Solo, S. 94
450 Sch, S. 2
451 We, S. 10
452 Sp, S. 14
453 We, S. 107
454 Vgl. ebd., S. 18
455 Solo, S. 114
456 Ebd.
457 Vgl. We, S. 18
458 Sch, S. 2
459 Vgl. Isaac Newton: Mathematische Prinzipien der Naturlehre. Darmstadt 1963, S. 508 f.
460 Sp, S. 33
461 Se, S. 187
462 Albert Einstein: Gelegentliches. Berlin 1929, S. 9
463 We, S. 17
464 Vgl. Bo, S. 208 f.
465 Sp, S. 27
466 Ebd., S. 122
467 Fr, S. 303
468 Vgl. Werner Heisenberg: Physik und Philosophie. Frankfurt a. M. 1959, S. 156 f.
469 Bo, S. 118
470 Sp, S. 26
471 We, S. 90
472 Sp, S. 123
473 Sp, S. 24
474 Bo, S. 208
475 Sp, S. 24
476 Ebd.
477 Ebd., S. 13
478 Ebd., S. 15
479 We, S. 17
480 Johannes Kepler: Gesammelte Werke. Im Auftrag der Deutschen Forschungsgemeinschaft und der Bayerischen Akademie der Wissenschaften. Bd. I. Mysterium Cosmographicum. IV. München 1937
481 Sp*, S. 21
482 Ebd.
483 Vgl. H, S. 69 f.
484 Sp*, S. 22
485 Ebd.
486 Vgl. Klaus A. Schneewind: Persönlichkeitstheorien. Bd. II. Darmstadt 1984, S. 47 f.
487 Sp*, S. 22
488 We, S. 12
489 Vgl. Sp*, S. 52
490 Ebd., S. 36
491 Karl von Meyenn: Einsteins Dialog mit den Kollegen. A. a. O., S. 465
492 Sch, S. 6
493 Sp*, S. 23
494 Vgl. Se, S. 13
495 We, S. 9
496 Ebd.
497 Sch, S. 6
498 Sp*, S. 26
499 We, S. 14
500 Sp*, S. 23
501 Ebd., S. 25
502 Ebd., S. 24 f.
503 Schopenhauer-Brevier. Hg. von Raymund Schmidt. Leipzig 1938, S. 199
504 Vgl. Sch, S. 6 f.
505 Sp*, S. 174
506 We, S. 20
507 Sp*, S. 15
508 Vgl. ebd., S. 52 f.
509 We, S. 15
510 Gerd Binnig: Aus dem Nichts. Über die Kreativität von Natur und Mensch. München [4]1992, S. 290 f.
511 Sp*, S. 25
512 Vgl. We, S. 138
513 Vgl. Johannes Wickert: Zum produktiven Denken bei Einstein. A. a. O., S. 443 f.
514 Vgl. Sp*, S. 31
515 Solo, S. 88
516 Sp*, S. 22
517 Sch, S. 6
518 Vgl. Sp*, S. 207
519 Ebd., S. 25

Zeittafel

1879 14. März: Albert Einstein wird in Ulm (Donau) als Sohn jüdischer Eltern geboren (Vater: Hermann Einstein, 1847–1902; Mutter: Pauline Einstein, geb. Koch, 1858–1920; Geburtshaus Bahnhofstraße)
1880 Familie Einstein übersiedelt nach München
1881 18. November: Geburt der Schwester Maja
1888 Eintritt ins Luitpold-Gymnasium, München
1892 Differential- und Integralrechnung; Beschäftigung mit Euklids Geometrie; Lektüre von Aaron Bernsteins «Naturwissenschaftliche[n] Volksbücher[n]» und Ludwig Büchners «Kraft und Stoff»
1894 Umzug der Eltern nach Italien; Schulaustritt ohne Abschluss; Aufgabe der deutschen Staatsangehörigkeit; Fahrt nach Mailand zu den Eltern
1895 Aufnahmeprüfung an der Eidgenössischen Polytechnischen Hochschule in Zürich, ohne Erfolg; Oktober: Schüler an der Aargauischen Kantonsschule
1896 Abitur an der Aargauischen Kantonsschule; Oktober: Immatrikulation an der Eidgenössischen Polytechnischen Hochschule für das Studium des mathematisch-physikalischen Fachlehrer-Berufs; Freundschaften mit den Kommilitonen Marcel Großmann, Louis Kollros, Jakob Ehrat, Mileva Marić, seiner späteren Frau; erste Begegnung mit Prof. Hermann Minkowski («Mathematische Grundlagen der Speziellen Relativitätstheorie», 1908), mit Prof. Adolf Hurwitz (späterer Freund), mit dem Assistenten Dr. Joseph Sauter (späterer Amtskollege am Patentamt in Bern)
1898 Wintersemester: Zwischenexamen am Polytechnikum
1900 Vorsommer: Studienabschluss durch Diplomprüfung
1901 21. Februar: Bürger der Stadt Zürich; Hilfslehrer am Technikum in Winterthur; kurze Zeit Hilfslehrer am Knabenpensionat Schaffhausen; erste selbständige Publikation: *Folgerungen aus den Capillaritätserscheinungen*
1902 Partnerschaft mit Mileva Marić. Geburt einer vorehelichen Tochter; Tod des Vaters in Mailand; 23. Juni: Beamter am Patentamt in Bern; Freundschaft mit Maurice Solovine und Conrad Habicht: «Akademie Olympia», Arbeiten über die klassisch-statistische Mechanik (bis 1905)
1903 6. Januar: Ehe mit Mileva Marić, geb. 1875 in Titel, Südungarn
1904 14. Mai: Geburt des ersten Sohnes Hans Albert (Studium in Zürich, seit 1938 in den USA, Professor für Hydraulik an der Universität Berkeley); Diskussion der Idee der Speziellen Relativitätstheorie mit Arbeitskollegen Michele Angelo Besso und Joseph Sauter
1905 Dissertation: *Eine neue Bestimmung der Moleküldimensionen* (Prof. Alfred Kleiner, Zürich); fruchtbares wissenschaftliches Jahr: Entdeckung der Lichtquanten (1921 Nobelpreis), Arbeit über die «Brown'sche Bewegung», erste Arbeit über Spezielle Relativitätstheorie (*Elektrodynamik bewegter Körper*)
1907 Besuch des Mathematikers Jakob Johann Laub aus Würzburg, Freundschaft mit Laub, drei gemeinsame Arbeiten entstehen; Besuch von Max von Laue (Laue schrieb 1911 zwei Werke über Relativitätstheorie)

1908 Hermann Minkowski: «Mathematische Grundlagen der Speziellen Relativitätstheorie» (bereits 1907: «Grundgleichungen für die elektromagnetischen Vorgänge» in «Göttinger Nachrichten»; Vortrag «Raum und Zeit», 80. Kongreß der Gesellschaft deutscher Naturforscher und Ärzte); Besuch von Prof. Rudolf Ladenburg, Einladung zur Naturforschertagung im Herbst 1909 nach Salzburg; Februar: Habilitation an der Universität Bern, im Wintersemester 1908/09 erste Vorlesung über *Theorie der Strahlung* (drei Hörer)

1909 Naturforschertagung in Salzburg, Vortrag: *Die Entwicklung unserer Anschauungen über das Wesen und die Konstitution der Strahlung*, Bekanntschaft mit den bedeutendsten Physikern (Planck, Rubens, Wien, Sommerfeld, Born); Sommersemester: Vorlesung findet wegen zu geringer Hörerzahl nicht statt; Vortrag vor der Physikalischen Gesellschaft in Zürich; Wahl zum außerordentlichen Professor an die Universität Zürich; Juli: Dr. h. c. der Universität Genf (Einstein erhält im Laufe seines Lebens ca. 25 Ehrendoktor-Ernennungen); 15. Oktober: Einstein verlässt Patentamt, um Professur in Zürich anzutreten; Umzug und Amtsantritt in Zürich; 1. Dezember: Antrittsvorlesung an der Universität Zürich *Über die Rolle der Atomtheorie in der neueren Physik*; Freundschaft mit dem Kollegen und Sozialdemokraten Dr. Friedrich Adler

1910 Freundschaft mit den Professorenkollegen Adolf Hurwitz (Einsteins ehemaliger Lehrer an der ETH Zürich), Marcel Großmann (ehemaliger Studienkollege), Alfred Stern (Historiker), Aurel Stodola (Vater der Dampf- und Gasturbine), Heinrich Zangger (Begründer der Katastrophenmedizin), Emil Zürcher (Strafrechtler); 28. Juli: Geburt des zweiten Sohnes Eduard

1911 15. April: Ruf an die deutsche Universität nach Prag; ordentlicher Professor in Prag; Freundschaft mit Georg Pick (Mach-Schüler), Hugo Bergmann (zionistischer Philosoph); erste entscheidende Idee der Allgemeinen Relativitätstheorie (*Einfluß der Schwerkraft auf die Ausbreitung des Lichtes*); Solvay-Kongress in Brüssel: nähere Bekanntschaft mit Marie Curie, Poincaré, Langevin, Planck, Nernst, Rutherford, Lorentz

1912 Februar: Berufung an die ETH Zürich; Planck, Madame Curie und Poincaré liefern Gutachten; Oktober: Amtsantritt als ordentlicher Professor für das Gebiet der theoretischen Physik

1913 *Entwurf einer Verallgemeinerten Relativitätstheorie und eine Theorie der Gravitation*, zusammen mit Marcel Großmann; Tagung der Naturforscher und Ärzte in Wien; Wahl zum ordentlichen Mitglied der Preußischen Akademie der Wissenschaften zu Berlin; Ernennung zum Direktor des Forschungsinstituts für Physik der Kaiser-Wilhelm-Gesellschaft

1914 Frühjahr: Einstein verlässt Zürich endgültig; Mileva Einstein kehrt mit beiden Söhnen nach Zürich zurück

1915 Drei wichtige Arbeiten: *Zur allgemeinen Relativitätstheorie*, *Erklärung der Perihelbewegung des Merkur aus der allgemeinen Relativitätstheorie*, *Feldgleichungen der Gravitation*

1916 Vollendung der Allgemeinen Relativitätstheorie; erste Pläne zur Verallgemeinerung der Gravitationstheorie; zweijährige Amtszeit als Vorsitzender der Physikalischen Gesellschaft

1917 Erstes «gemeinverständliches» Buch: *Über die Spezielle und die Allgemeine Relativitätstheorie*

1918 Gastvorlesungen an der Universität Zürich (bis 1920); Hermann Weyl: «Raum, Zeit und Materie»

1919 29. Mai: Expedition der Royal Society of London (Leitung: Sir Arthur Stanley Eddington) nach Sobral (Brasilien) und Insel Príncipe (Golf von Guinea): Expedition bestätigt bei totaler Sonnenfinsternis Richtigkeit der Gravitationstheorie (Lichtstrahlenablenkung im Schwerefeld); Vortrag an der Universität Leiden (*Äther und Relativitätstheorie*); Scheidung von Mileva; Ehe mit Elsa Einstein (Cousine von Albert Einstein)

1920 «Relativitätsrummel», «Zeitungsberühmtheit»; Tod der Mutter; Kongress der deutschen Naturforscher und Ärzte in Nauheim: Nobelpreisträger Philipp Lenard wendet sich gegen Einsteins Theorie («Anti-Relativitäts-GmbH.»); außerordentliche Professur in Leiden; persönliche Bekanntschaft mit Niels Bohr («Discussion with Einstein on Epistemological Problems in Atomic Physics»); Max Born veröffentlicht «Die Relativitätstheorie Einsteins»; Einstein publiziert fortan auch nichtphysikalische Schriften

1921 Amerika-Besuch zusammen mit Chaim Weizmann, um für jüdische Nationalfonds Geld zu sammeln; Mai 1921: *Vier Vorlesungen über Relativitätstheorie*, gehalten an der Universität Princeton; November: Nobelpreis für die Entdeckung des photoelektrischen Effekts (1905), verliehen ein Jahr später

1922 Hamburg: Vortrag über Relativitätstheorie, Gast bei Ernst Cassirer; Gerücht von einem geplanten Attentat auf Einstein; Wahl in die «Kommission für intellektuelle Zusammenarbeit» (Völkerbund) zusammen mit Madame Curie, Sitzungen in Genf und Paris

1923 Palästina-Besuch; H. A. Lorentz emeritiert; Lehrauftrag in Leiden; Vortrag vor der Nordischen Naturforscherversammlung in Göteborg; Reisen nach England, Spanien, Tschechoslowakei, Japan, Palästina; erste Publikationen zur Einheitlichen Feldtheorie. Es folgen weitere dreizehn Arbeiten darüber bis zum Todesjahr 1955

1925 Manifest gegen die Wehrpflicht (u. a. von Gandhi unterzeichnet)

1927 Teilnahme am Solvay-Kongress

1929 Bau eines Landhauses in Caputh

1930 Solvay-Kongress; fortan in den Wintermonaten Gastvorlesungen in Princeton

1933 Entzug der «deutschen Ehrenbürgerrechte», Konfiskation des Vermögens; Herbst: im belgischen Badeort De Haan bei Ostende: Briefwechsel mit der Preußischen Akademie Berlin; Professor am Institute for Advanced Study in Princeton

1934 Sammelband: *Mein Weltbild*; Violinkonzert in New York zugunsten aus Deutschland geflohener Wissenschaftler (Erlös: 6500 Dollar)

1935 Sommerhaus in Old Lyme (Connecticut), Segelsport auf dem Carnegie-See

1936 Zusammenarbeit mit Leopold Infeld (bis 1939): «The evolution of physics»; «Gravitational equations and the problems of motion»); Tod des Freundes

Marcel Großmann; Tod der zweiten Ehefrau Elsa Einstein

1939 2. August: Brief an Franklin D. Roosevelt (zur Atombombe)

1940 1. Oktober: amerikanische Staatsbürgerschaft, Vereidigung in Trenton (New Jersey); Violinkonzert in Princeton für die Kinderhilfe

1944 Handschriftliche Abschrift der Arbeit *Elektrodynamik bewegter Körper* (1905) wird in Kansas City für 6 Millionen Dollar versteigert, Betrag geht an die Library of Congress

1945 6. August: Atombombe auf Hiroshima; 9. August: Atombombe auf Nagasaki

1946 Übernahme des Präsidiums des Emergency Commitee of Atomic Scientists (zur Verhütung eines Atombombenkrieges); *Grundlagen der Verallgemeinerung der Gravitationstheorie* («Annals of Mathematics», 1946)

1948 Diagnoseoperation in New York; Tod der ersten Ehefrau Mileva Marić

1949 *Nekrolog* in: «Albert Einstein. Philosopher-Scientist»

1950 Verallgemeinerung der Gravitationstheorie *Meaning of Relativity*; Sammelband: *Out of my later years* (*Aus meinen späten Jahren*)

1951 Tod der Schwester Maja Winteler, geb. Einstein, in Princeton

1952 Einstein wird das Amt des Staatspräsidenten von Israel angeboten, Absage im November; Expedition nach Khartum (Sudan) bestätigt erneut die Krümmung der Lichtstrahlen

1953 Verallgemeinerung der Relativitätstheorie («Annals of Mathematics»); öffentliche Geburtstagsfeier zur Finanzierung des Albert Einstein College of Medicine (Reinerlös 3,5 Millionen Dollar)

1954 Krankheit: Unterfunktion der Leber, hämolytische Blutarmut, Körperschwäche; Zusammenarbeit mit Bertrand Russell (Russell-Manifest)

1955 Am 18. April stirbt Albert Einstein in Princeton (Todesursache: «Rupture of Arteriosclerotic Aneurysm of Abdominal Aorta»)

Zeugnisse

Max Born
Die Leistung der Einsteinschen Theorie ist [...] die Relativierung und Objektivierung der Begriffe von Raum und Zeit. Sie krönt heute das Gebäude des naturwissenschaftlichen Weltbildes.
Einleitung zu: Die Relativitätstheorie Einsteins. 1921

J. Kremer
Ich weiß nicht, ob in der Geschichte der Wissenschaften ein ähnlicher Fall von Massensuggestion und Irreführung ernster Gelehrter in einem kaum für möglich zu haltenden Maßstabe vorgekommen ist. Es scheint unfaßbar, wie Mathematiker, Physiker, Philosophen, ja vernünftige Menschen überhaupt sich derartiges auch nur vorübergehend einreden lassen konnten [...].
100 Autoren gegen Einstein. Leipzig 1931

Max von Laue
Dein Werk aber ist und bleibt unerreichbar aller Leidenschaft und es dauert, solange es eine Kulturmenschheit auf Erden gibt.
Brief vom 10. Januar 1939

Max Planck
Ihre Bedeutung [gemeint ist die Einstein'sche Relativitätstheorie] erstreckt sich auf alle Vorgänge der kleinen und großen Natur, von den radioaktiven, Wellen und Korpuskeln ausstrahlenden Atomen angefangen, bis zu den Bewegungen der Millionen von Lichtjahren entfernten Himmelskörper.
Das Weltbild der neuen Physik. Leipzig 1947

Gaston Bachelard
Die philosophischen Antriebe der Einsteinschen Revolution könnten im Vergleich zu den philosophischen Metaphern der kopernikanischen Wende in ganz anderer Weise wirksam werden, wenn die Philosophen nur bereit wären, alle in der Relativitätswissenschaft enthaltenen Lehren zu ziehen. Eine systematische Revolution der Grundbegriffe beginnt mit der Einsteinschen Wissenschaft [...]. In der Wissenschaft vollzieht sich nun das, was Nietzsche eine «Umwertung der Begriffe» genannt hat.
In: Albert Einstein als Philosoph und Naturforscher. Stuttgart 1951

Niels Bohr
Die Menschheit wird Einstein immer dafür verpflichtet bleiben, daß er die Schwierigkeiten beseitigt hat, die in den Vorstellungen einer absoluten Zeit und eines absoluten Raumes begründet waren. Er schuf ein einheitliches und harmonisches Weltbild, das die kühnsten Träume der Vergangenheit übertroffen hat.
Scientific American, 1955

Maurice Solovine
Ich liebte ihn und bewunderte ihn wegen seiner großen Güte, seiner geistigen Originalität und seines unbeugsamen sittlichen Mutes. Sein Rechtsgefühl war außerordentlich hoch entwickelt. Im Gegensatz zu den meisten sogenannten Intellektuellen, deren moralisches Gefühl oft in so verhängnisvoller Weise verkümmert ist, hat Einstein unermüdlich gegen jegliche Ungerechtigkeit und Gewalttat seine Stimme erhoben. Er wird in der Erinnerung künftiger Geschlechter weiterleben, nicht nur als ein genialer Mann der Wissenschaft von ungewöhnlichem Format, sondern auch als ein Mensch, der die höchsten sittlichen Ideale verkörperte.
Freundschaft mit Albert Einstein. Paris 1956

Kurt Blumenfeld
Einstein war ein geborener Non-Konformist. Für ihn existierten die Gesetze der Natur, wie er sie sah und erkannte. Gegen die willkürlichen Gesetze der Menschen bäumte sich sein ganzes Wesen auf.
Aus: Helle Zeit – Dunkle Zeit. In memoriam Albert Einstein. Zürich 1956

Pablo Casals
Nach Einsteins Tod ist es, als ob die Welt an Gewicht eingebüßt und einen Teil ihrer Substanz verloren hätte.
In: Friedrich Herneck: Albert Einstein. Ein Leben für Wahrheit, Menschlichkeit und Frieden. Berlin 1963

Thomas Mann
Will man bezweifeln, daß der Gram über den unseligen Gang der Welt und das gräßlich Drohende, wozu seine Wissenschaft auch noch unschuldig die Hand geboten, sein organisches Leiden gefördert, ja miterzeugt und sein Leben verkürzt hat?
Er war aber der Mensch, der, im äußersten Augenblicke noch, gestützt auf seine schon mythische Autorität, sich dem Verhängnis entgegengeworfen haben würde. Und wenn heute unter allen Volkheiten, Farben und Religionen einmütige Trauer und Bestürzung sich zeigt bei der Meldung von seinem Tode, so bekundet sich darin das irrationale Gefühl, sein bloßes Dasein möchte es vermocht haben, der letzten Katastrophe den Weg zu verstellen. In Albert Einstein starb ein Ehrenretter der Menschheit, dessen Namen nie untergehen wird.
Zum Tode von Albert Einstein. In: Autobiographisches. Frankfurt a. M. 1968

Armin Hermann
[Einsteins] Vereinsamung kontrastiert in merkwürdiger Weise mit der starken sozialen Verantwortung, die er fühlte und die sein Verhalten bestimmte. Er opferte viel Zeit, um Menschen zu helfen, die in Schwierigkeiten waren.
Einstein. Der Weltweise und sein Jahrhundert. Eine Biographie. München 2004

Stephen Hawking
Einstein hat die Allgemeine Relativitätstheorie fast im Alleingang geschaffen und eine wichtige Rolle bei der Entwicklung der Quantenmechanik gespielt. Seine Einstellung zu Letzterer fasste er in dem Satz zusammen: «Der liebe Gott würfelt nicht.» Doch alles spricht dafür, dass Gott ein unverbesserlicher Spieler ist und bei jeder sich bietenden Gelegenheit würfelt.
Einsteins Traum. Reinbek 1993

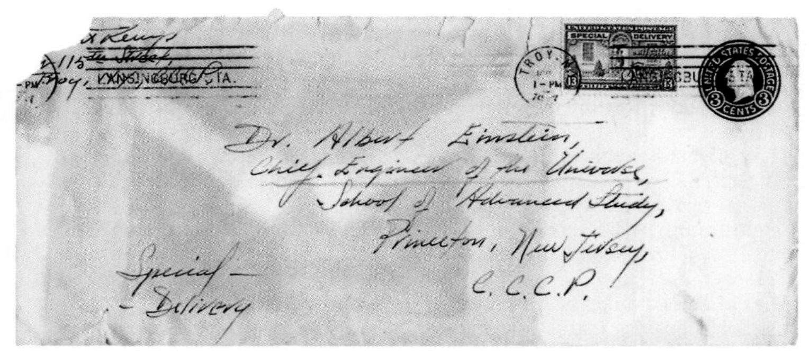

Briefe an Albert Einstein in Princeton, Mercer Street 112

Bibliographie

1. Bibliographien

Seelig, Carl: Verzeichnis sämtlicher wissenschaftlicher Arbeiten. In: Carl Seelig (Hg.): Albert Einstein und die Schweiz. Zürich / Stuttgart / Wien 1952, S. 213 f. Ferner abgedruckt in: Carl Seelig: Albert Einstein. Eine dokumentarische Biographie. Zürich / Stuttgart / Wien 1954, S. 263 f.

Bibliographie der Schriften Einsteins. In: Paul Arthur Schilpp (Hg.): Albert Einstein als Philosoph und Naturforscher. Stuttgart 1951, S. 513 f.

2. Werke

I. Gesamtausgaben

The collected papers of Albert Einstein. The Early Years: 1879–1902. Bd. 1. Hg. von John Stachel / Robert Schulmann. Princeton 1987, Princeton University Press

The collected papers of Albert Einstein. The Swiss Years: Writings, 1900–1909. Bd. 2. Hg. von John Stachel / David C. Cassidy. Princeton 1990, Princeton University Press

The collected papers of Albert Einstein. The Swiss Years: Writings, 1909–1911. Bd. 3. Hg. von Jürgen Renn / Robert Schulmann. Princeton 1994, Princeton University Press

The collected papers of Albert Einstein. The Swiss Years: Writings, 1912–1914. Bd. 4. Hg. von Robert Schulmann / A. J. Knox. Princeton 1995, Princeton University Press

The collected papers of Albert Einstein. The Swiss Years: Correspondence, 1902–1914. Bd. 5. Hg. von Martin Klein und Robert Schulmann. Princeton 1993, Princeton University Press

The collected papers of Albert Einstein. The Berlin Years: Writings, 1914–1917. Bd. 6. Hg. von Robert Schulmann / Martin Klein. Princeton 1996, Princeton University Press

The collected papers of Albert Einstein. The Berlin Years: Writings, 1918–1921. Bd. 7. Hg. von Michel Janssen / Robert Schulmann. Princeton 2002, Princeton University Press

The collected papers of Albert Einstein. Berlin Years: Correspondence, 1914–1917. Bd. 8, Teil A. Hg. von Robert Schulmann / Martin Klein. Princeton 1996, Princeton University Press

The collected papers of Albert Einstein. The Berlin Years: Correspondence, 1919–1920. Bd. 8, Teil B. Hg. von Diana Kormos Buchwald / Robert Schulmann. Princeton 2004, Princeton University Press (noch nicht erschienen)

II. Einzelausgaben (Auswahl)

Einstein, Albert / Leopold Infeld: Evolution der Physik. Von Newton bis zur Quantentheorie. Hamburg 1956

Einstein, Albert / Sigmund Freud: Warum Krieg? Mit einem Essay von Isaac Asimov. Zürich 1972

Über den Frieden. Weltordnung oder Weltuntergang? Hg. von Otto Nathan / Heinz Norden. Bern 1975

The Human Side. New Glimpses from His Archives. Ausgewählt und hg. von Helen Dukas / Banesh Hoffmann. Princeton 1979

Aus meinen späten Jahren. Stuttgart 1979

Mein Weltbild. Hg. von Carl Seelig. Frankfurt a. M. 1981

Über die spezielle und allgemeine Relativitätstheorie. Braunschweig / Wiesbaden [23]1988

Albert Einsteins Relativitätstheorie. Die grundlegenden Arbeiten.

Hg. von Karl von Meyenn. Braunschweig 1990

3. Briefe

Briefe. Aus dem Nachlaß von Helen Dukas und Banesh Hoffmann. Dt. Erstausgabe. Zürich 1990.
Einstein, Albert: Briefwechsel 1916–1955. Albert Einstein, Hedwig und Max Born. Kommentiert von Max Born. Geleitwort von Bertrand Russell. Vorwort von Werner Heisenberg. Frankfurt a. M. 1986
Einstein, Albert: Lettres à Maurice Solovine. Reproduites en facsimilé et traduites en français. Paris 1956
Einstein, Albert / Michele Besso: Correspondance 1903–1955. Paris 1972
Einstein, Albert / Mileva Marić: Am Sonntag küss' ich Dich mündlich. Die Liebesbriefe 1897–1903. Hg. und eingeleitet von Jürgen Renn und Robert Schulmann. Mit einem Essay «Einstein und die Frauen» von Armin Hermann. München / Zürich 1994
Einstein, Albert / Arnold Sommerfeld: Briefwechsel: Sechzig Briefe aus dem goldenen Zeitalter der modernen Physik. Hg. und kommentiert von Armin Hermann. Basel / Stuttgart 1968
Einstein, Albert / Johannes Stark: Briefwechsel und Verhältnis der beiden Nobelpreisträger. In: Armin Hermann (Hg.): Sudhoffs Archiv Bd. 50. Wiesbaden 1966, S. 267–285
Kleinert, Andreas / Charlotte Schönbeck: Lenard und Einstein. Ihr Briefwechsel und ihr Verhältnis vor der Nauheimer Diskussion von 1920. In: Gesuerus Bd. 35 (1978), S. 318 f.
Pauli, Wolfgang: Wissenschaftlicher Briefwechsel mit Bohr, Einstein, Heisenberg u. a. Bd. I: 1919–1929. Hg. von Armin Hermann. New York / Heidelberg / Berlin 1979
–: Wissenschaftlicher Briefwechsel mit Bohr, Einstein, Heisenberg u. a. Bd. II: 1930–1939. Hg. von Armin Hermann. New York / Heidelberg / Berlin 1985
–: Wissenschaftlicher Briefwechsel mit Bohr, Einstein, Heisenberg u. a. Bd. III: 1940–1949. Hg. von Armin Hermann. New York / Heidelberg / Berlin 1993
Przibram, Karl (Hg.): Erwin Schrödinger, Max Planck, Albert Einstein, Hendrik Antoon Lorentz. Briefe zur Wellenmechanik. Wien 1963
Sanesi, Elena: Three letters by Albert Einstein and some information on Einstein's stay at Pavia: In: Physis 18 (1976), S. 174–178
Sass, Hans-Martin: Einstein über «Wahre Kultur» und die Stellung der Geometrie im Wissenschaftssystem. Ein Brief Albert Einsteins an Hans Vaihinger vom Jahr 1919. In: Zeitschrift für allgemeine Wissenschaftstheorie 10 (1979), S. 316–319
Thiele, Joachim: Briefe Albert Einsteins an Joseph Petzoldt. In: Zeitschrift für Geschichte der Naturwissenschaften, Technik und Medizin. NTM 8 (1971), S. 70–74
Treder, Hans-Jürgen: Ein Briefwechsel zwischen Albert Einstein und Adolf Schmidt. In: Gerlands Beiträge zur Geophysik 88 (1979), S. 1–3

4. Biographien und Aufsätze zur Biographie (Auswahl)

Zu empfehlen ist die herausragende und ausführlichste Arbeit von Armin Hermann: Einstein. Der Weltweise und sein Jahrhundert. Eine Biographie. München ³2004. Dieses Werk, dem wir zahlreiche Anregungen und Dokumente verdanken, verarbeitet die wichtigsten Zitate und Zeugnisse Einsteins.

Bucky, Peter A.: Der private Albert Einstein. Gespräche über Gott, die

Menschen und die Bombe. Düsseldorf 1991
Clark, Ronald W.: Albert Einstein. Leben und Werk. München 1990
Dank, Milton: Einstein. London 1984
Fölsing, Albrecht: Albert Einstein. Frankfurt a. M. 1993
Frank, Philipp: Einstein. Sein Leben und seine Zeit. Wiesbaden / Braunschweig [2]1979
Herneck, Friedrich: Einstein privat. Herta W. erinnert sich an die Jahre 1927 bis 1933. Berlin 1978
Highfield, Roger / Paul Carter: Die geheimen Leben des Albert Einstein. Berlin 1994
Hoffmann, Banesh: Albert Einstein. Schöpfer und Rebell. Stuttgart 1976
Jost, Res: Einstein und Zürich, Zürich und Einstein. In: Vierteljahresschrift der naturforschenden Gesellschaft in Zürich 124 (1979), S. 7–23
Kirsten, Christa: Albert Einstein in Berlin. Teil I: Darstellung und Dokumente. Studien zur Geschichte der Akademie der Wissenschaften der DDR. Bd. 6. Berlin 1979
–: Albert Einstein in Berlin. Teil II: Spezialinventar. Studien zur Geschichte der Akademie der Wissenschaften der DDR. Bd. 7. Berlin 1979
Neffe, Jürgen: Einstein. Eine Biographie. Reinbek bei Hamburg 2005
Pais, Abraham: «Raffiniert ist der Herrgott …» Albert Einstein. Eine wissenschaftliche Biographie. Braunschweig / Wiesbaden 1986
Pyenson, Lewis: The young Einstein. Bristol 1985
Sechzig, Carl: Albert Einstein. Leben und Werk eines Genies unserer Zeit. Zürich 1960
Trbuhović-Gjurić, Desanka: Im Schatten Albert Einsteins. Das tragische Leben der Mileva Einstein Marić. Bern / Stuttgart [4]1988
Vallentin, Antonina: Das Drama Albert Einsteins. Eine Biographie. Stuttgart 1955

5. Sekundärliteratur (Auswahl)

Aichelburg, Peter C. / Roman U. Sexl (Hg.): Albert Einstein. Sein Einfluß auf Physik, Philosophie und Politik. Braunschweig / Wiesbaden 1979
Angel, Roger B.: Relativity. The theory and its philosophy. Oxford / New York / Toronto / Sydney / Paris / Frankfurt a. M. 1980
Bauer, Wolfram (Hg.): 75 Jahre Quantentheorie. Festband zum 75. Jahrestag der Entdeckung der Planckschen Energiequanten. Berlin 1977
Bernstein, Jeremy: Albert Einstein. München 1975
Biezunski, Michel: Einstein à Paris. In: La Recherche Bd. 13 (1982), S. 502–510
Blaser, Jean-Pierre: Die experimentelle Bestätigung der speziellen Relativitätstheorie. In: Vierteljahresschrift der naturforschenden Gesellschaft in Zürich 124 (1979), S. 45–57
Bohr, Niels: Das Quantenpostulat und die neuere Entwicklung der Atomistik. In: Die Naturwissenschaften 16 (1928), S. 245–270
Born, Max: Physik im Wandel meiner Zeit. Braunschweig [4]1966
–: Die Relativitätstheorie Einsteins. Unter Mitarbeit von Walter Biem. Berlin / Heidelberg / New York / Tokio [5]1984
Buchheim, Wolfgang: Albert Einstein als Wegbereiter nachklassischer Physik (Sitzungsberichte der Sächsischen Akademie der Wissenschaften zu Leipzig, Mathematisch-Naturwissenschaftl. Klasse, Bd. 115 / 4). Berlin 1981
Cassirer, Ernst: Zur modernen Physik. Darmstadt [5]1980
Dirac, Paul Audrien Maurice: The large numbers hypothesis and the Einstein theory of gravitation. In: Proceedings of the Royal Society Bd. 365 (1979), S. 19–30
Dürrenmatt, Friedrich: Albert Ein-

stein. In: Vierteljahreszeitschrift der naturforschenden Gesellschaft in Zürich 124 (1979), S. 58–73
Elkana, Yehuda/Adi Ophir: Einstein. 1879–1979. Ausstellung, Jüdische National- und Universitätsbibliothek. Jerusalem 1979
Feynman, Richard P.: Sie belieben wohl zu scherzen, Mr. Feynman! Abenteuer eines neugierigen Physikers. München/Zürich 1987
Flückiger, Max: Albert Einstein in Bern. Das Ringen um ein neues Weltbild. Eine dokumentarische Darstellung über den Aufstieg eines Genies. Bern 1974
French, Anthony P. (Hg.): Albert Einstein. Wirkung und Auswirkung. Wiesbaden 1990
Fritzsch, Harald: Eine Formel verändert die Welt. Newton, Einstein und die Relativitätstheorie. München 1988
Generalverwaltung der Max-Planck-Gesellschaft München (Hg.): Feier der 100. Geburtstage von Albert Einstein, Otto Hahn, Lise Meitner, Max von Laue. Stuttgart 1979
Goldsmith, Maurice (Hg.): Einstein. The first hundred years. Oxford/New York/Toronto/Sydney/Paris/Frankfurt a. M. 1980
Greither, Aloys: Die Freundschaft Albert Einsteins mit dem Maler Joseph Scharl. In: Ciba Symposium Bd. 16 (1968), S. 57–68
Grüning, Michael: Ein Haus für Albert Einstein. Erinnerungen – Briefe – Dokumente. Berlin 1990
Hehl, W. Friedrich/Christian Heinicke: Über die Riemann-Einstein-Struktur der Raumzeit und ihre möglichen Gültigkeitsgrenzen. In: Philosophica naturalis Bd. 37 (2000), S. 317–350
Heisenberg, Werner: Tradition in der Wissenschaft. Reden und Aufsätze. München 1977
–: Physik und Philosophie. Stuttgart [3]1978
–: Quantentheorie und Philosophie. Vorlesungen und Aufsätze. Stuttgart 1979
Hentschel, Klaus: Der Einstein-Turm. Heidelberg 1992
Hermann, Armin: 1879 – der gute Physiker-Jahrgang. Zur Hundertjahrfeier für Einstein, Hahn, Meitner und v. Laue. In: Die Umschau in Wissenschaft und Technik 79 (1979), S. 4–6
–/Rolf Schumacher (Hg.): Das Ende des Atomzeitalters? Eine sachlich-kritische Dokumentation. München 1987
Herneck, Friedrich: Einsteins Freundschaft mit Ärzten. In Zeitschrift für Geschichte der Naturwissenschaften, Technik und Medizin 8 (1971), S. 24–34
–: Die Einstein-Dokumente im Archiv der Humboldt-Universität zu Berlin. In: Zeitschrift für Geschichte der Naturwissenschaften, Technik und Medizin 10 (1973), S. 32–38
–: Albert Einstein und das politische Schicksal seines Sommerhauses in Caputh bei Potsdam (mit Erstveröffentlichung von 4 Einstein-Briefen). In: Zeitschrift für Geschichte der Naturwissenschaften, Technik und Medizin 11 (1974), S. 32–39
–: Einstein und sein Weltbild. Aufsätze und Vorträge. Berlin 1976
–: Albert Einstein. Leipzig [7]1986
Hoffmann, Banesh: Einsteins Ideen. Das Relativitätsprinzip und seine historischen Wurzeln. Heidelberg 1993
Holton, Gerald: Thematische Analyse der Wissenschaft. Die Physik Einsteins und seine Zeit. Frankfurt a. M. 1981
–/Yehuda Elkana: Albert Einstein. Historical and Cultural Perspectives. The Centennial Symposium in Jerusalem. Princeton 1982
Infeld, Leopold: Leben mit Einstein. Wien 1969

Jammer, Max: Das Problem des Raumes. Die Entwicklung der Raumtheorien. Darmstadt ²1980
–: Einstein und die Religion. Mit einem Brief von Carl Friedrich von Weizsäcker. Konstanz 1994
Kanitschneider, Bernulf: Das Weltbild Albert Einsteins. München 1990
Kleinert, Andreas: Paul Weyland, der Einstein-Töter. In: Naturwissenschaft und Technik in der Geschichte. Hg. von Helmuth Albrecht. Stuttgart 1993, S. 198–232
Kuhn, Thomas: The Structure of Scientific Revolution. Chicago ²1970
Kuznecov, Boris: Einstein and Epicurus. In: Diogenes Bd. 81 (1973), S. 44–69
–: Einstein und Mozart. In: Ideen des exakten Wissens Nr. 12 (1972), S. 783–788
Landau, Lev D.: Was ist Relativität? Ein Weg zu Einsteins Theorie. Weinheim ⁵1985
Laue, Max von: Gesammelte Schriften und Vorträge. Braunschweig 1961
Michelmore, Peter: Albert Einstein. Genie des Jahrhunderts. Hannover 1968
Miller, Arthur I.: Albert Einstein and Max Wertheimer. A Gestalt psychologist's view of the genesis of special relativity theory. In: History of science 13 (1975), S. 75–103
Mittelstaedt, Peter: Über das Einstein-Podolsky-Rosen-Paradoxon. In: Zeitschrift für Naturforschung 29 (1974), S. 539–548
–: Der Zeitbegriff in der Physik. Physikalische und philosophische Untersuchung zum Zeitbegriff in der klassischen und relativistischen Physik. Mannheim / Wien / Zürich 1980
–: Philosophische Probleme der modernen Physik. Mannheim / Wien / Zürich ⁶1981
Moszkowski, Alexander: Einstein. Einblicke in seine Gedankenwelt. Hamburg / Berlin 1920
Navon, Jitzak: On Einstein and the Israel Presidency. In: Gerald Holton / Yehuda Elkana: Albert Einstein. Historical and Cultural Perspectives: The Centennial Symposium in Jerusalem. Princeton 1982
Nelkowski, Horst u. a. (Hg.): Einstein-Symposion Berlin aus Anlaß der 100. Wiederkehr seines Geburtstages: 25.–30. März 1979. Lecture notes in physics. Vol. 100. Berlin / Heidelberg / New York 1979
Paul, Iain: Science, Theology and Einstein. Belfast 1982
Pauli, Wolfgang: Opening Talk. In: Fünfzig Jahre Relativitätstheorie. Helvetica Physica Acta. Suppl. IV. Basel 1956
Pflug, Günter: Albert Einstein als Publizist 1919–1933. Frankfurt a. M. 1981
Planck, Max: Vorträge und Erinnerungen. Darmstadt ⁷1969
Plesch, János: János. Ein Arzt erzählt sein Leben. München 1949
Popper, Karl R.: Ausgangspunkte. Meine intellektuelle Entwicklung. Zürich 1981
Prigogine, Ilya / Isabelle Stengers: Dialog mit der Natur. Neue Wege naturwissenschaftlichen Denkens. München / Zürich 1980
Reich, Kersten: Konstruktivistische Didaktik. Lehren und Lernen aus interaktionistischer Sicht. Neuwied 2002
Reichenbach, Hans: Die philosophische Bedeutung der Relativitätstheorie. Braunschweig / Wiesbaden 1979
Rhodes, Richard: Die Atombombe oder die Geschichte des 8. Schöpfungstages. Nördlingen 1988
Russell, Bertrand: Das ABC der Relativitätstheorie. Neu hg. von Felix Pirani. Reinbek 1972
Sayen, Jamie: Einstein in America. The Scientist's Conscience in the

Age of Hitler and Hiroshima. New York 1985
Schilpp, Paul Arthur (Hg.): Albert Einstein als Philosoph und Naturforscher. Braunschweig / Wiesbaden 1979
–: Albert Einstein – Größe eines Menschen und Denkers. In: Universitas 28 (1973), S. 433–442
Schlicker, Wolfgang: Albert Einstein. Physiker und Humanist. Berlin 1981
Schmutzer, Ernst: Relativitätstheorie – aktuell. Ein Beitrag zur Einheit der Physik. Leipzig ²1981
Schröder, Ulrich E.: Spezielle Relativitätstheorie. Thun / Frankfurt a. M. ²1987
Schwarz, Richard Alan: The F. B. I. and Dr. Einstein. In: The Nation Bd. 237 (1983), S. 168–173
Seelig, Carl (Hg.): Helle Zeit – Dunkle Zeit. In memoriam Albert Einstein. Nachdr. d. Ausg. Zürich 1956. Mit einleitenden Bemerkungen zur Neuausgabe von Karl von Meyenn. Braunschweig / Wiesbaden 1986
–: Albert Einstein. Leben und Werk eines Genies unserer Zeit. Zürich 1960
Sexl, Roman U.: Die experimentelle Prüfung der allgemeinen Relativitätstheorie. In: Physikertagung. Hauptvorträge der Jahrestagung des Verbandes Deutscher Physik. Gesellschaften 34 (1969), S. 471–489
–: Neue Ergebnisse der Relativitätstheorie. Raum – Zeit – Materie. In: Physikalische Blätter 35 (1979), S. 141–149
–: Relativitätstheorie als didaktische Herausforderung. In: Die Naturwissenschaften 67 (1980), S. 209–215
– / Herbert Kurt Schmidt: Raum – Zeit – Relativität. Braunschweig / Wiesbaden ²1981
– / Helmuth K. Urbantke: Gravitation und Kosmologie. Eine Einführung in die allgemeine Relativitätstheorie. Mannheim / Wien / Zürich 1975
–: Relativität, Gruppen, Teilchen. Spezielle Relativitätstheorie als Grundlage der Feld- und Teilchenphysik. Wien / New York ²1982
Stiller, Niklas: Albert Einstein. Hamburg 1981
Strohmeyer, Ingeborg: Transzendentalphilosophische und physikalische Raum-Zeit-Lehre. Eine Untersuchung zu Kants Begründung des Erfahrenswissens mit Berücksichtigung der speziellen Relativitätstheorie. Mannheim / Wien / Zürich 1980
Sugimoto, Kenji: Albert Einstein. Die kommentierte Bilddokumentation. Gräfelfing 1987
Theimer, Walter: Die Relativitätstheorie. Lehre, Wirkung, Kritik. Bern / München 1977
Treder, Hans-Jürgen (Hg.): Einstein-Centenarium. Ansprachen und Vorträge auf der Festveranst. des Einstein-Komitees der DDR bei der Akademie der Wissenschaften der DDR vom 28.2. bis 2.3.1979 in Berlin. Berlin 1979
UNESCO (Hg.): Science and synthesis. An International Colloquium organized on the 10. Anniversary of the Death of Albert Einstein and Teilhard de Chardin. Berlin / Heidelberg / New York 1971
Wheeler, John Archibald: Einstein und was er wollte. In: Physikalische Blätter 35 (1979), S. 385–397
Wickert, Johannes: Isaac Newton. Reinbek 1995
–: Zum produktiven Denken Einsteins. Ein Beitrag zur Erkenntnispsychologie. In: Horst Nelkowski (Hg.): Einstein-Symposion Berlin aus Anlaß der 100. Wiederkehr seines Geburtstages. Lecture notes in physics. Vol. 100. Berlin 1979, S. 443–463

Namenregister

Die kursiv gesetzten Zahlen bezeichnen die Abbildungen.

Über den Autor

Johannes Wickert legte nach dem Studium der Malerei (Stuttgart, Nürnberg, Florenz) sein Abitur als Externer ab und studierte Physik und Psychologie (Frankfurt a. M., Freiburg, Basel). Seine Dissertation schrieb er über Albert Einstein. 1980 habilitierte er sich im Fach Psychologie an der Universität Tübingen. Heute lebt er als Maler und Universitätsprofessor in Köln und in Elsenborn (Belgien). In der Reihe rowohlts monographien erschien von ihm der Band «Isaac Newton» (1995, rm 50548).

Quellennachweis der Abbildungen

akg-images, Berlin: Umschlagvorderseite, 11, 19, 21, 43 (Florenz, Biblioteca Marucelliana), 82, 101 (Privatbesitz; © VG Bild-Kunst, Bonn 2004), 104, 117, 128, 129, Umschlagrückseite (2)
ullstein bild, Berlin: 3, 9, 54, 67, 109
Photograph by Yousuf Karsh, Camera Press London: 7
The Albert Einstein Archives, The Jewish National & University Library, Jerusalem, Israel: 8 (2), 111, 175 (3)
Fotos: Rowohlt Archiv: 15, 30, 39, 72/73
Schweizerische Literaturarchiv / SLA, Bern: 25
Privatbesitz: 33 (mit freundlicher Genehmigung von Susanne Fiegel, Velden)
Aus: Albert Einstein. Briefe an Maurice Solovine. Paris 1956: 47
akg-images / Erich Lessing: 52 (Cambridge, Trinity College), 57, 116, 144 (Wolfenbüttel, Herzog August Bibliothek)
Aus: Albert Einstein / Leopold Infeld: Die Evolution der Physik. Wien 1950: 59, 60
Aus: Carl Seelig: Albert Einstein und die Schweiz. Zürich – Stuttgart – Wien 1952: 62, 95
Staatsarchiv des Kantons Bern: 75 (T. A. Bern Universität 2)
Archiv der Berlin-Brandenburgischen Akademie der Wissenschaften, Fotosammlung: 87 (Nr. 2), 114
Bildarchiv Preußischer Kulturbesitz, Berlin: 88/89
dpa Picture-Alliance, Frankfurt a. M.: 112, 134, 140, 158/159
akg-images / AP: 121
akg-images / IMS: 148
United Press International, Washington, D. C.: 154

Trotz sorgfältiger Recherchen konnten nicht alle Rechteinhaber ermittelt werden. Der Verlag ist bereit, berechtigte Ansprüche in üblicher Weise abzugelten.